Chaos

by ALFA

SCRIPTORA

Copyright Erika Goulden 2011

Cover Design by Alfred Gewohn

Images and graphics by Linda Goulden

First edition published in Great Britain by Four O'Cock Press in 2008

Second edition published in Great Britain in 2011

by

SCRIPTORA

25 Summerhill Road

London N15

ISBN 978-0-9562494-4-9

The right of Erika Goulden to be identified as the Author of the Work has been asserted by her accordance with the Copyright, Designs and Patent Act 1988

All rights reserved.

No part of this publication may be reproduced, stored in a retrieval system, or transmitted, in any form or by any means without the prior written permission of the Author

Available from all major online retailers and available to order through all UK bookshops or contact:

Erika Goulden

E-mail: erika.goulden@o2.co.uk

Website: www.alfa-erika.goulden.com

Printed and bound in Great Britain by

Witley Press Ltd

24-26 Greevegate

Hunstanton

Norfolk PE36 6AD

Linda Goulden - chaos 2

My special thanks goes to
Linda Goulden
who created these colourful images

CHAOS

Inhalt / Index

VORWORT

Chaos, ein kunterbuntes Durcheinander. Das Leben ist voller Überraschungen und Wendungen. Mal lustig, manchmal traurig, mal hektisch und dann wieder ruhig. Keinesfalls aber lässt es sich in ein Schema, ein Muster pressen, ist vorhersehbar oder vollends planbar.

Das Leben ist an sich chaotischer Natur und es ist in erster Linie voller kunterbunter Zutaten. Es ist nicht monochrom oder grau, auch wenn es dann und wann den Anschein hat.

ALFAs Geschichten und Gedichte spiegeln diese Erkenntnisse in vielfältiger Art und Weise wieder. Immer dann, wenn sie sie liebevoll in chaotische Häppchen aufteilt und uns beispielsweise LIEBES-CHAOS auftischt, vom PERSÖNLICHEN-CHAOS einschenkt und anschließend CRIMINAL-CHAOS serviert. Mal in in deutscher, mal in englischer Sprache mal in beiden.

Texte aus dem großen Kessel des Lebens, dem großen Eintopf, in dem alle Zutaten gut miteinander vermengt sind und dem jeder durch Zugabe seiner speziellen Zutaten seine eigene persönliche Note verleihen kann.

ALFAs Eintopf schmeckt hervorragend, ist äußerst bekömmlich und vor allen Dingen herrlich chaotisch.

Alfred Gewohn
Soest, September 2008

FOREWORD

Chaos is a hubbub of voices expressing that life is full of surprises and turning points, sometimes merry then again sad or hectic but also calm.Nothing can ever be forced into a pattern, is predictable or can be planned completely.

Life is basically of a chaotic nature with many colourful ingredients. It is not monochrome or grey, even if it seems that way sometimes.

Alfa's stories and poems reflect these multi-layered realisations, offering small appetizers from LOVE CHAOS or pouring PERSONAL CHAOS into our glasses and finally serving CRIMINAL CHAOS with texts either in German or English.

The texts form a cauldron of life, a big stew where all ingredients are mixed together asking to add your own specific flavours to give it that important personal touch.

ALFA's stew tastes excellent, is easily digestible and above all beautifully chaotic.

Alfred Gewohn
Soest, September 2008

Linda Goulden - chaos 3

Kunterbuntes Chaos

Schreiben

schreiben oder nicht schreiben
das war eigentlich schon immer 'ne heikle frage

sollte man:
intelligent dumm
nebligschön
herausfordernd banal
weinerlich satirisch
traurig süß
stilistisch verdummdeubelnd
gefühlsduselig fesch
kecken speck
königlichen dreck
politisch allwissend
sportlich irre
pornokundig tief
tollschief mit pfiff
oder ganz einfach
schreiben?

oder sollte man doch endlich aufhören
mit der ganzen klugscheißerei ?

tja, wenn's um's schreiben geht
dann ist das schon so'ne sache

kritik üben soll viel leichter sein

Lesen

mein rechter zeigefinger umwirbt das wort
dann das nächste, nächste und wieder nächste

spreche die worte behutsam aus
der zusammenhang zerbröckelt
die melodie bleibt unklar
aber plötzlich singt die bedeutung

dankbar küsst mein finger jedes wort

Reading

my right index-finger woos the word
then the next, next and next

pronounce the words cautiously
the connection crumbles
the melodie remains distorted
but suddenly the meaning unfolds

grateful, my finger kisses every word

Traumflüge

somewhere over the rainbow
bluebirds fly
why, oh why, cant I ?
Judy Garland in Der Zauberer von Oz

Eigentlich hat sie schon immer gewusst, dass sie anders ist, halb Mensch und halb Vogel.

Natürlich ist sie überwiegend Mensch, nur, wenn die Flammen eines glühenden Herbstbaumes auf sie überspringen, wachsen ihre Flügel. Dann hält sie nichts mehr im Menschsein. Sie muss fliegen, ganz allein, auf ihre Insel. Dort warten die Worte schon. Schimpfen, dass sie so lange fortgewesen ist, aber verwöhnen sie dann doch. Versprechen ihr einen langen Flug mit den Zugvögeln, um sich vom Menschsein zu erholen. Sie ist den Worten dankbar. Verweilen kann sie nur kurz, darf aber auch nicht vergessen, ohne das Menschsein hätte sie diesen Ort nie gefunden und die ganz besonderen Freunde auch nicht.

Mit der Zeit wird der Flug zurück immer schwieriger. Sie möchte ganz bei den Worten bleiben, ihr Menschsein vergessen. Kaum möglich, das weiß sie. Und doch sucht sie ständig nach einem Weg, länger und länger mit ihren Freunden zu fliegen, bis hin zur Sonne. Würde sie sich die Flügel verbrennen? Gut möglich. Und was dann?

Also fliegt sie immer wieder zurück. Legt ihre Lieblingsplatte auf und weint mit Judy Garland: somewhere ...

Flights of Fancy

somewhere over the rainbow
bluebirds fly
why, oh why, cant I ?
Judy Garland in The Wizard of Oz

She always knew she was different, half human and half bird.

Of course, she is mainly human, but when the burning flames of a red autumn tree touch her, wings start to grow. Now nothing will keep her in the human realm. She has to fly, all alone, to her island. The words are waiting for her already. Shout at her that she has been away too long, but spoil her just the same. They promise her a long flight with the migrating birds to recover from being human. She is grateful to the words. Can only stay a short while though, never forgetting that without being human she would not have found this place and those very special friends.

After some time, returning becomes more and more difficult. She would like to stay with the words for ever, forget being human. Hardly possible, she knows that. And yet, she is constantly looking for ways to fly longer and longer with her friends, even as far as the sun. Would she scorch her wings ? Probably. And what would happen then ?

So, she always goes back. Puts her favourite record on and cries with Judy Garland: somewhere ...

Kunst?

glücklicherweise
weiß ich jetzt
genau
was ich erreichen will
weil ich vor kurzer zeit
eine kunstausstellung besuchte

dort
in einer ecke stand
ein eimer
voller wurzeln

neugierig
ging ich hinüber
zu dem eimer
um etwas genauer zu sehen

plötzlich
fingen die karotten an
ganz jämmerliche laute von sich zu geben
als ob sie fürchterliche schmerzen hätten

überrascht
stand ich da
und lauschte ihrem schmerz

dann
explodierte mein schallendes lachen
in die stille
der gallerie

Art?

fortunately
i know now
exactly
what i am aiming for
because
i visited an art exhibition
not long ago

there
in some corner
stood a bucket
full of carrots

curious
i went over
to the bucket
to have a closer look

suddenly
the carrots started
to make pitiful sounds
as if in great pain

startled
i stood there
listening to their pain

then
my roaring laughter exploded
into the silence
of the gallery

Liebes Chaos

Der Anruf (Ein Ortsgespräch)

können sie mich jetzt hören?
na, gott sei dank!
ich bin's, herr pastor, die maria. sie wissen doch....
wie bitte? ich kann sie auch nur sehr schlecht verstehen...
was?
doch - gut - wirklich!
nur das blut überall ...
was?
blut, ja. das sagte ich doch schon.
widerlich, finden sie nicht auch?
hallo, herr pastor, sind sie noch da?
das mädchen stank, wissen sie ... und ihre arme mutter...
so eine elegante frau.
schämte sich bestimmt,
so eine schlampe von tochter zu haben.
dreckiges nachthemd... ein richtiger schmierfink!
gekämmt hat sie sich auch nie. lag nur da mit ihren
kopfhöhrern, popmusik tag und nacht.
zum verrückt werden! kein wunder also. so konnte es ja auch
nicht weitergehen.
was passiert ist? ja, ich hatte doch das messer...
was?
ja natürlich! warum auch nicht? ich nehme immer mein
eigenes besteck mit.
hier ist alles viel zu stumpf.
herr pastor, sind sie noch da?
nee ... warum sollte ich angst haben?
ach so, das blut.
nee...blut macht mir eigentlich nichts aus. ehrlich!

warum? sagte ich doch schon, kann einfach keine
dreckspatzen leiden. und die langeweile hier!
ich will nach hause Herr Pastor,
das verstehen sie doch, oder? ...

sie haben denen nebenan doch nicht gesagt, wo ich bin?
ich will nicht, dass sie mich besuchen kommen.
neugierig, die beiden.
madam und ihr herr gemahl,der pantoffelheld...
das fehlte gerade noch!
sie würde bestimmt ihren berühmten rosinenkuchen
mitbringen.
stolz wie oskar auf ihre backkünste...
das ich nicht lache!
hab gesehen, wie "hygienisch" es da zugeht.
katze auf dem tisch, die pfoten im mehl, an den rosinen
herumlecken.
pfui deibel! ekelig!
würden sie den kuchen essen, Herr Pastor? bestimmt nicht.

unser helmut?
nee ... noch nicht.
will ihn auch gar nicht sehen. soll da bleiben!
bringt doch nur seine sogenannte frau mit. das flitchen.
wie sein vater. ja, genau so.
jeden monat eine andere.
doch, doch sie haben richtig gehört ...
j-e-d-e-n m-o-n-a-t
das wussten sie sicher auch noch nicht, was?
und dann wollte er mir weismachen "ich liebe nur dich."
ha! so dumm bin ich ja nun auch wieder nicht.

und als er krank war?
ja, da waren sie verschwunden, die püppchen.
vom winde verweht.
wer war da wieder die dumme?
na, raten sie mal, Herr Pastor.
richtig! wer sonst wohl?
ich liebe nur dich. dass ich nicht laut loslache...

und es war sowieso nicht meine schuld.
der dämliche arzt hätte mir die tabletten nicht anvertrauen dürfen.
geben sie ihrem mann aber nur wie verschrieben, nicht mehr. es könnte sonst tödliche folgen haben.
wie recht er hatte!
muss sein herz gewesen sein, liebe frau müller,....
das hat er gesagt, der blöde arzt.
hätte gern geantwortet: **er hatte kein herz, lieber doktor.**

Herr Pastor?
ihre stimme ist wieder so weit weg.
sie werden doch niemandem etwas von dem messer
und den tabletten sagen, nein?
oh, verzeihung! das hätte ich nun nicht fragen sollen.
sie dürfen ja nichts sagen, als pastor. gott sei dank!
wie dumm von mir!
wissen sie, wann ich hier rauskomme?
das letzte mal haben sie ja auch ein gutes wort für mich eingelegt.
nein? warum nicht?
wissen sie, ich mache mir sorgen um meine katze.
ja? das würden sie wirklich für mich tun?

vielen dank! nett von ihnen, Herr Pastor.
ist vielleicht besser, wenn ich jetzt schluss mache.
ist doch ziemlich spät, nicht?
hoffentlich habe ich ihre ruhe nicht gestört.
sie denken an meine katze, ja?
ölsardinen frisst sie am liebsten.
nochmals vielen, vielen dank!
wünsche eine gute nacht, Herr Pastor.

Reversing the Charges

can you hear me now? oh good!
it's me father o'leary...mary. your voice is very faint, father... what me?
i'm fine...only... there's blood everywhere.
what? yes, i did say blood.
disgusting, don't you think so, father? are you still there?
that girl stank, you know. good riddance!
her poor mother, such an elegant lady. must have been out of her mind with a daughter like that. dirty nightie...yes... filthy she was. never combed her hair either. just lay there, listening to that wretched radio, day and night. irritating!
no wonder someone had it in for her. what?
in ... for ... her ... yes, that's right. how?
with a knife...what?
yes of course. i always take my own cutlery. everything is too blunt in here. father o'leary, are you still there?
upset? who me? why should i be upset? the blood?

doesn't bother me, honest.
just fed up, father. want to go home. you haven't told next door, have you? don't want them to visit me.
she would, you know...and drag her husband along. filthy them two. harsh? who? me?
it's her homemade scones you see, father. she'll bring them for sure. i've seen her make'm. cat on the table, dipping its paws into the flour, playing with the currants....
ugh!
would you eat them, father?
our gary?
no, not yet. don't want him to come either. hell bring his so-called wife, the tart.
like his father he is...tarts, tarts, tarts. a different one every month. yes, e-v-e-r-y m-o-n-t-h
and telling me **i only love you**. ha! i' m no fool.
told him to stuff it.
stuff it, yes father, yes, that's what i said.
didn't dream of looking after him when he was sick, those tarts, did they now? disappeared into thin air.
no, it had to be muggins here. love you.. me foot.
it was the doctor's fault anyway. shouldn't have trusted me with his tablets. **make sure you give him exactly as prescribed, mrs miller**, the silly doctor said. **could be fatal otherwise.**
was fatal alright, eh father?
must have been his heart, mrs miller.
felt like saying he didn't have a heart, doctor. father! father! your voice is very faint again. nobody must know about the tablets or the cutlery. you won't tell, will you father?
sorry, shouldn't have said that. of course, you won't. you can't, can you father. thank god.

did you find out when they might let me go home? no. why not?
i worry about the cat, you see. you will ...
that's very kind of you, father. thanks. she likes a bit of fresh fish now and then. thanks ever so much, father.
better get back into bed now. late isn't it? you won't forget the cat, will you?
good night, father o'leary. god bless!

Tea for Three

Sie fängt damit an das runde Deckchen noch einmal zu bügeln. Locharbeit und handgestickte Röschen. Herrlich alt. Ich freue mich. Endlich werde ich mal wieder der Mittelpunkt sein. Ob sie wohl um fünf kommen? Jetzt ist es vier. Geduld, Geduld!
Was sie sich wohl zu erzählen haben? Hoffentlich sprechen sie nicht nur über Krankheiten, wie letztes mal. Richtig langweilig. Und wer kommt eigentlich heute?
Ich beobachte, wie sie noch einmal über die Teller wischt, in die Tassen pustet. (Nicht sehr hygienisch, meine Liebe). Hält dann eine Tasse gegen das Licht. Hauchdünn das Porzellan, durchsichtig, so zerbrechlich. Als die Oma starb, hat dann meine Herrin das handgemalte, chinesische Service geerbt. Glaube, es fehlte nur eine Tasse. Sie passt aber auch wirklich gut auf uns auf. In der letzten Zeit ist sie viel fröhlicher, lacht und singt sogar, aber redet, wie immer, mit sich selbst. Ich belausche

sie dann. Nur dieses Mal konnte ich nicht herausfinden, wer zu erwarten ist.
Nur zwei Gedecke? Ungewöhnlich! Es sind meistens vier, für die Freundinnen, dienstags. Ist das eine chinesische Vase? Muss neu sein, passend zum Service, aber bestimmt nicht so alt und wertvoll. Imitation vielleicht. Sie bringt gelbe Rosen aus der Küche. Bin überrascht. Eigentlich sind ihr Rosen immer zu teuer. Zwei Servietten werden auch noch einmal gebügelt, passend zur Kaffeedecke. Und sie spült das gute Besteck, Silber. Unpraktisch eigentlich, die viele Putzerei damit. Na ja, sie muss es ja wissen.
Der Couchtisch beim Kamin ist gedeckt. Zwei gemütliche Sessel. Sie klopft die weichen Kissen zurecht. Betrachtet alles noch einmal. Eine Kerze fehlt. Ja, eine Kerze muss sein. Sie ist zufrieden und schaut auf ihre Armbanduhr. Scheint nervös, sehr nervös. Läuft vom Wohnzimmer in die Küche und zurück, hin und her. Zupft nochmal an der Decke.
Ich kann alles gut durch das Glas beobachten. Werde, wie sie, ungeduldig. Wann sie mich wohl befreit?
Es klingelt. Sie macht nicht sofort auf. Streicht sich über das enge Kleid. Höre freundliches Stimmengeplätscher im Flur. Sie führt ihn an der Hand zum Sessel.
Mach's dir bequem. Schön, dass du doch noch kommen konntest.
Er ist dick, hat Glatze und sehr schöngeformte Ohren. Das beruhigt mich. Formen sind eben wichtig für mich.
Er sitzt da. Schaut sich im Zimmer um. Lächelt.
Möchtest du Tee oder Kaffee?
Ich halte den Atem an.
Tee wäre mir am liebsten.
Natürlich, deine vielen Jahre in England.

Mit Milch ?
Bitte.
Gott sei Dank, kein Kaffee. Dann wäre mein Auftritt geplatzt.Sie kommt auf mich zu. Öffnet die Vitrinentür. Endlich. Der Wasserkessel pfeift. Vorsichtig gießt sie das heiße Wasser in meinen Bauch.Ekstase? Sie schaukelt mich ein wenig. Ich werde rundum warm. Dann gießt sie das Wasser wieder aus. Jetzt der Darjeeling und kochendes Wasser. Deckel zu. Das Aroma ist betäubend. Ich bin allein mit meinem duftenden Verführer. Noch ein bisschen ziehen lassen.Langsam trägt sie mich zum Kamin. Stellt mich vorsichtig auf das Tischchen über ein Teelicht. Er bewundert sofort meine Schönheit und sie erzählt ihm von Oma und dass es ein Wunder war, mich durch den Krieg zu retten. Schön, wenn man sich geschätzt weiß.

Tea for Three

She is ironing the round tablecloth once more, the one with its handembroidered roses, old and beautiful. I am excited. At last I will be the centre of attention again. Will they be here at 5? It is 4 o'clock now. Patience, patience!
Wonder, what they will be talking about this time? Hopefully not just about their aches and pains like last time. Boring! Anyway, who is coming today?
I see, she is wiping over the plates again. Blows into the cups (not very hygienic, my dear), then holds a cup to the light. The porcelain is fragile, transparent. When the grandma died my

lady inherited the handpainted, chinese tea-service.
Believe, only one cup was missing. Mind you, she does look after us with care.
She is much happier lately, sings and laughs but still talks to herself as usual. That's how I find things out. Not this time, though. Don't know at all who's coming today.
Is the table only set for two? Usually it is four on a Tuesday for her friends. And there, that chinese vase. Must be new. It matches the tea-set, but is not as old and valuable. An imitation probably. She brings yellow roses from the kitchen. I am surprised. Roses are usually too expensive, she says. She now irons two serviettes which match the tablecloth. Then she rinses the cutlery. Silver, not very practical. All that effort to keep it gleaming. Well, she must know, what she is doing.
The coffee-table by the fire-place is set. Two comfortable arm-chairs. She shakes the soft cushions, then checks everything once more. Of course, a candle is missing. There has to be a candle. She is pleased now, looks at her watch. I can see it all from behind the glass. Start to get impatient like her. When is she coming to free me?
The bell rings. She doesn't open right away, straightens her tightly fitting dress. From the hall a tinkling of voices. She leads him by the hand to the armchair.
Sit down. Lovely, that you were able to come after all .
He is fat, boldy and has beautifully shaped ears. That's good. Shapes are important to me. He is sitting there, looking around, smiling.
Would you like tea or coffee?
I have stopped breathing, panicking.
Tea please, love.
Of course, I should have known, all your years in England.

Milk?

Please, love.

Thank God, he didn't want coffee. That would have spoiled my performance completely. She is coming towards me. Opens the door of the glass-cabinet and takes me out.

The kettle whistles. Very carefully she pours water into my belly. Ecstacy! She rocks me a little. I am lovely and warm allround. She pours the water out again. Now the Darjeeling and boiling water. Lid on. The aroma is breathtaking. I am alone with my scent-seducer for a short while.

Then, very slowly she carries me over to the fire-place, puts me in the middle of the small table on a tea-light. He admires my beauty immediately and she tells him about her grandma and about the miracle that I should have survived the war. Lovely, when you are appreciated.

Linda Goulden - chaos 4

Ein halbes Pfund Glück

guten morgen mein herr, sie wünschen?
ein kleines stück glück bitte,
so ungefähr ein halbes pfund
ein halbes pfund ?
ja bitte
tut mir sehr leid, alles ausverkauft

ich wollte eigentlich nur ein ganz kleines stückchen
leider nein
ich bin doch hier richtig?
ja, das schon
also wissen sie, es wird wirklich immer schlimmer
letzte woche sagten sie mir, dass sie auf eine
lieferung warten
ich weiss, man hat auch alles andere geschickt:
traurigkeit
schmerzen
illusionen
lügen
angst
sie wissen schon, das übliche

was war noch ihre lieblingssorte,
holländisch, dänisch, französisch?
das ist mir eigentlich egal, hauptsache frisch

könnten sie vielleicht nächste woche noch mal reinschaun?
ich lege sofort ein kleines stückchen für sie in die
tiefkühltruhe, sollte doch noch eine unerwartete lieferung
eintreffen

könnte eigentlich auch etwas davon gebrauchen,
um ganz ehrlich zu sein

Half a Pound of Happiness

good morning, sir, can i help you?
a small piece of happiness please, about half a pound
half a pound, sir?
yes, please
sorry, we have sold out

i only wanted a small piece really
sorry !
this is the right counter isn't it?
yes, it is
well i must say it is getting worse
you told me last week it was on order
i know, they have sent everything else:
sadness
pain
illusion
lies
fear
you know, the usual

french is your favourite, isn't it?
or is it dutch, danish...
i don't mind, any really, as long as it is fresh

perhaps you could call in again next week
i'll put a small piece into the deep-freeze for you straight away, should it arrive unexpectedly

Could do with some myself, to tell you the truth

Späte Rache

beobachte sie
zwei jungen und ein mädchen
und einen alten mann

die kinder graben ein großes loch
ganz tief
bis runter, wo der sand noch feucht ist

habe das auch oft gemacht
mit papa
er ging fort
ohne ein Wort
kam nie zurück
es tat weh
zu sehr

kann nur noch den hut des alten mannes sehen
kinderhände, emsig, erregt
gelächter

furchtbar im sand eingegraben zu sein
er kann sich nicht bewegen
überhaupt nicht
nicht einen zentimeter

das mädchen tritt hinter seinen hut
am wasserrand entlang
die jungen haben rote eimer
schütten wasser über seinen kopf
mehr und mehr

dann nur noch husten, spucken
hilflos
er schreit

die kinder laufen weg
lassen die eimer zurück
der hut tanzt auf den wellen

entsetzt
renne ich
runter
runter
runter

seine augen sind geschlossen
keine angst, ich werde Sie bald...
er sieht mich an
ich würde diese augen überall wiedererkennen
papa?
habe aufgehört zu graben
und gehe schnell fort

Belated Revenge

watching them
two boys, a girl
and an old man

the children are digging a deep hole
right down, where the sand is still damp

used to do the same
with me dad
he left
without a word
never came back
it hurt
too much

can only see the old man's hat now
and children's hands, busy, excited
laughter

frightening to be buried in sand
he can't move
not at all
not one inch

the girl is kicking his hat
along the water's edge
the boys have buckets
pour water over the man's head
more and more

spluttering, spitting
helpless
he screams

they run off
buckets left behind
hat dancing an the waves

horrified
i run down
down
down
down

his eyes are closed
don't worry, i'll soon...
he looks at me
i'd know those eyes anywhere
dad?
have stopped digging
and walk away quickly

Flüstersehnsucht

beim essen
und danach
beim vögel
gezwitscher
brannte die sonne
o, welche wonne
auf die beule im neuen schlafzimmerschrank

jetzt ist sie krank
nach vögel
gezwitscher
in verbotenen paradiesgärten

More than a Garden

There is something eerily beautiful about the early moon in winter, the way it steals between the trees. At this time there are no distractions, few passing cars or people walking their dogs.

A muddy road leads to the public garden. He walks slowly, feeling sorry for himself and the brown clumps of stalks, leftovers from last summer's neat flower beds. Soon, the road changes to a secret, winding path, trees tall and bare on either side. Haze. The undergrowth shrivelled. A sound of water, a small stone bridge bending over a trickle. He could sit here for a while as they used to do. No, better walk on.

The path opens to the centre of a secluded garden. **Their** garden, not so long ago. Hovering grey greets the intruders despair. Plump, bored raindrops slide slowly from careless leaves. Pushing aside low, defenceless branches, he stumbles over exposed willow roots. His face is cold and numb from the evening mist. Thistles and nettles shiver in the breeze, no longer defending their territory. Lost silver streaks dart through tired trees until beginnings of darkness sneak in.

And there it is, over there. A big, old house, alone and dark by a pond where the brown leaves of the waterlilies refuse to die. He sits down an the bench, **their** bench, close to the water, intrigued as always. Who lived here, all those years ago? They did ask but never found out properly.
Unable to move he listens to the pond whispering. A church bell rings. He is uneasy because he thinks he can understand the whispers. **She should not have loved him. Not here, yet she did.**

Who was she? He gets up to follow the path away from the pond.

Further on are ducks and goats behind wire mesh and a peacock. They had often stood there and admired how lovely and colourful it looks when he opens all the tail feathers. Time for him to walk back. He could avoid the pond.

What is the matter with me? He speaks aloud. Has stopped walking now. Knows, he should not have loved her either. But he did, always will. He is still standing there, rigid, shivering. A slight wind moves the willow tree. Its spindly branches stroking the pond. Please, he does not want to see her. But there, slowly down those three steps, a long white dress, hazy moonlight on her hair, she walks into the slimy water.
He can hear whispering again:
You should not have loved him. Come! Come! Cool your pain!
And through the mist she walks again.

Rosa

liebe mich
oder stopfe mich voll mit stachelbeeren
nur erwarte keine schönheitsoperation
du solltest doch wissen
eine rosa-rote brille steht mir nicht
am morgen danach

und höre gut zu, mein lieber
ich spiele immer nur auf meinem eigenen dudelsack

okay ?

Pink

love me
or stuff me with gooseberries
but don't expect plastic surgery
you should know
that pink glasses don't suit me
the morning after

and listen mate
i always play my own dudelsack

okay ?

Frauen und Frösche

ein goldener ball rollt durch das hohe gras
küsst unkraut und wilden klatschmohn
sie läuft ihm lachend nach

bei einem moosbedeckten brunnen machen sie halt
sie streichelt ihr lieblingsspielzeug
dann wirft sie es hoch, bis zur sonne, glücklich

als sie es wieder auffangen will
fällt der ball in den brunnen, tief runter, runter, runter
sie weint und weint und weint

plötzlich nimmt ein kalter, hässlicher frosch ihre hand und sagt:
ich werde dir den ball aus dem brunnen holen
wenn ich in deinem bett schlafen darf
sie verspricht es

der frosch gibt ihr den goldenen ball
sie aber läuft ganz schnell fort
denkt gar nicht daran, ihr versprechen zu halten

in der nacht klopft es an ihrer schlafzimmertür
es ist der frosch
sie hebt ihn auf und klatscht ihn gegen die wand
wieder und immer wieder

er gibt keinen laut von sich
sieht sie nur mit geübt traurigen augen an
voll scham hebt sie ihn hoch und küsst ihn

so, wie es viele frauen tun
in der hoffnung,
dass sich ihr frosch in einen prinzen verwandeln möge

und so leben sie fortan
mit ihren glitschigen fröschen

Women and Frogs

a golden ball rolls through the high grass
kissing weeds and wild poppies
she runs after it, laughing

they stop by a moss-covered well
she strokes her favourite toy
then throws it high up to the sun, happy

when she tries to catch it
the ball falls into the well, down, down, down
she cries and cries and cries

suddenly, a cold, ugly frog touches her hand and says:
i'll fetch your ball from the well,
if you let me sleep in your bed
she promises

the frog hands her the golden ball
but she runs away quickly
never intending to keep her promise

that night, a knock at her bedroom door
it is the frog
she picks him up and throws him against the wall
again and again

he does not make a sound
just looks at her with practised sad eyes
ashamed, she picks him up and kisses him
like so many women
hoping, that their frog will turn into a prince

and so they live ever after
with their slimy frogs

Eifersucht

Ja, Herr Kommisar, Sie haben wohl recht. Jetzt sieht sie nicht mehr verführerisch aus. Aber wissen Sie, sie hat immer wieder beteuert, dass ich mir das alles nur einbilde.

Sie hat mich mies belogen, immer wieder und mein bester Freund auch,
Und dann lag da plötzlich das Brotmesser...

Jealousy

Yeah, officer, that's her. You are so right. She no longer smells sweet or feels soft. But if she could speak, she would defend me.

She never really loved him. She told me so.But she lied. She did lie. You must understand now why I picked up the breadknife...

Misthaufen

wo die liebe hinfällt
da bleibt sie oft liegen
und wär's auf einem misthaufen

was macht man dann?

bleibt glücklich darauf sitzen
und ignoriert den gestank
der liebe willen

oder

entmistet den haufen
und benutzt das lebenswerte darin
als dünger auf dem feld der kompromisse

oder

beträpfelt den mist mit teurem parfüm
und pflanzt duftende rosen rund herum
um den faulen geruch zu vertuschen

oder

man hält blind und stur an der misthaufenliebe fest
und fängt selbst an zu stinken

Kriegs Chaos

Tante Röslein

hitler, ja
jeder weiss über hitler bescheid, ist es nicht so?
ich habe herausgefunden,
was er einer meiner tanten angetan hat
na ja, nicht nur er selbst
andere auch

rosa war meine lieblingsverwandte
wir nannten sie nie tante
nur röslein
unsere kleine rose
eigentlich der falsche name für sie
eine grosse, knochige frau, blond
mit breitem gesicht
und einem körper wie ein federkissen
die jüngste schwester meines vaters
sanft, gutmütig

sie wohnte bei oma
in dem kleinen haus, das jetzt nicht mehr da ist
heiratete nie
war aber einmal verlobt
er fiel in hitlers krieg
eine woche vor der hochzeit

sie war so ganz anders
als die anderen tanten
sie versorgte uns drei
meine beiden brüder und mich
wenn mutter in vaters büro mithalf

wir haben röslein oft ausgenutzt
sie war ja so gutherzig
das ist oft so, nicht wahr?
es machte ihr aber nichts aus
sie verstand es
lachte sogar darüber
sie war eine richtige mutter
im altmodischen sinne
warm, geduldig, fröhlich und lustig

sie kochte nur unsere lieblingsgerichte
abwechselnd
clever, nicht?
nur war es so:
ich hasste das lieblingsgericht meines älteren bruders
glaube aber, er mochte meins auch nicht besonders
unser heini futterte alles
blieb trotzdem eine bohnenstange
typisch

mutter mochte rosa nicht
behandelte sie ohne güte
hauptsächlich aus verlegenheit
weil röslein so langsam war
wenn es ums lernen ging
akademisches, meine ich
wir lasen röslein im bett geschichten vor
und nicht anders rum

hitlers mitläufer sterilisierten sie
nur weil sie eine hilfsschule besuchte
eine tragödie
sie war so gut mit und für kinder

viel später las ich nun diesen artikel über
ein bestimmtes verfahren
wie hitler mit diesen menschen umging
man schrieb:
man brauchte zwei unterschriften
von zwei ärzten
musste dann zu einem vorgetäuschten gerichtsverfahren wo
über sterilisation entschieden wurde
ich weiß nicht,
was für erniedrigende fragen
unser armes röslein hat erdulden müssen
niemand in der familie sprach je darüber

sie wurde "getrennt", so nannte man es
der weg zu den eierstöcken blockiert,
um nie eigene kinder zu bekommen

man "trennte" sie sehr wohl
in mehr als nur gynäkologischem sinne
wenn ich mich an die bemerkungen ihrer eigenen
verwandten erinnere
kommt zorn, ekel, empörung hoch
auch heute noch
wollt ihr wissen, was sie sagten?
seid ihr darauf gefasst?
hier ist es:

vielleicht ist es doch am besten so
sie sind zu sexy .... diese leutchen
man muss sie vor sich selbst schützen
rosa zieht sie schon aus, ihr wisst schon was

noch bevor die männer es ihr sagen
man hat sie gesehen
im feld
eine schande
für die ganze familie

lügner
dumme schweine
warum bin ich eigentlich so überrascht?
auch heute noch
haben viele leute diese oder eine ähnliche einstellung, wenn es um die langsameren geht
nur ihre ausreden erscheinen anders
oder doch nicht?
man sagt, geld sei die wurzel allen übels
ich glaube, es ist angst und dummheit
aber das ist eben nur meine meinung

Aunt Röslein

hitler, yes
everyone knows about hitler, don't they?
i found out
what he did to one of my aunts
well, not just he himself
others too

rosa was my favourite relative all round
we never called her aunt
just röslein
which means small rose
the wrong name for her, really
a tall, big-boned woman, blonde
with a broad face
and a body like a feather cushion
my father's youngest sister
gentle, kind

she lived with grandma
in the small house that's no longer there
never married
was engaged once
but he was killed in hitler's war
a week before their wedding

very different she was
not like the other aunts
she looked after us three
my two brothers and me
when mother helped dad in the office

we often took advantage of röslein
she was so good-natured
you do, don't you?
she didn't mind
understood
even laughed about it
made to be a mother, she was
in its old-fashioned sense
warm, patient and fun

she would only cook our favourite meals
on a rota
clever, don't you think?
only one snag, though
i hated my oldest brother's favourite dish
don't think he was too keen on mine either
our heini scoffed everything
not a pick on him
typical

mother disliked rosa
treated her without kindness
out of embarrassment mainly
because röslein was very slow
when it came to learning things
academically, i mean
we read to her at bedtime
rather than the other way round

hitler's lot sterilized her
only because she went to a special school
for slow learners
a tragedy
she was so good with children

much later i read this article
about a certain procedure
regarding hitler's treatment of the slow
it said:
you needed two signatures
of two doctors
and you went to some kind of pretend court-hearing
before they finally decided on sterilization
i don't know
what kind of humiliating questions
poor röslein had to endure
nobody within the family talked about it

she was "**done**"' in the end
'getrennt' is the german word
which means separated, tube-wise
never to have children of her own

they separated her alright
in more than just a gynacological sense
when i recall some of the comments
from her own relatives especially
well
anger, disgust, utter disbelief
that's what i feel
still today
do you want to know what they said?
are you ready for it?
here it comes:

it might have been for the best, you know
they are oversexed these...you know...people
you have to watch them
she takes them off, you know
even before the men tell her to
people have seen her
in the fields
the shame of it
for the family

liars
ignorant pigs
i should not be so surprised, should i?
many people still have this
or similar attitudes today
about the slower
only their reasons are different
from those of hitler's
that's all
or are they?
you know what
they say money is the root of all evil
i think it's fear and ignorance
but that's just my opinion, isn't it?

Café Krieg

kommt ihr leut
es ist feiertag heut
weltenausverkauf bis acht
eine unheimliche pracht

man serviert
paniert und garniert
billige, gemischte
kalt geschmacklos aufgetischte fernsehplatten
für sie, ihre kindeskinder, oma, opa und den gatten

hass, mit oder ohne ei
gedunsene bäuche mit kartoffelbrei
dumme lügenbrühe mit pfeffrigem schneit
geröstete häuser, gefüllt
ohne mitleid

alles hinein in den schlund
es ist heut die feuerstund
im abgrund der versalzenen liebe
nicht weit vom menschenhirnverbohrtheitsgetriebe

Triebwagen

wenn ich mich nur selbst vom triebwagen lösen könnte
aussteigen
den hass-schnellzug anhalten
die zerfetzte fahne der vernunft auf gleis liebe hissen
auf tollwut pissen
vieles von damals laut und deutlich wiederwissen
und nicht hilflos brüllend weiterrollen müssen

Musik

ist die musik eine glorreiche göttin oder eine hure?
eine anschmiegsame aber gefährliche dienerin von
machtpolitik
ideologie
religion
krieg

blind und anpassungsfähig spiegelt sie illusionen wider
liebe
freude
verzückung
traurigkeit
schmerz
trost
qual
patriotismus
mord
die verherrlichung und angst vor gott
tod
und vogelgesang

chopin wurde **verboten** im **warschauer ghetto**
die **umsiedlungsaktion** hatte begonnen **auf bahnsteig 2**
aber die musiker durften ihre instrumente mitnehmen

musik
ein fragwürdiger gebrauchsartikel
eine hurende göttin

Music

is music a glorious goddess or just a whore?
a pliant but dangerous servant to
power politics
ideologies
religions
and wars alike

blindly offering adaptable illusions, mirror-sounds of
love
joy
ecstasy
sorrow
pain
solace
the glory and fear of god
patriotism
torture
murder
death
and bird song

chopin is **verboten** in the **warsaw ghetto**
the **umsiedlungsaktion** has started **on platform 2**
however, musicians are allowed to bring their instruments

music
that dubious commodity
a whoring goddess

Sklaven

mein onkel, der general liebt das boxen
richtige männer sind das, knallharte männer

während des vietnam krieges
beschimpfte er die stimmen des protestes mit
feiglinge, verräter

eine kostenlose einladung zu einem muhammed ali kampf
ein platz ganz vorne, natürlich, ring side
ist sein grösstest vergnügen

ali siegte wieder einmal
und der general fordert, den sieger persönlich zu sprechen

grossartiger kampf, cassius clay, starker sieg
die armee wird stolz auf dich sein
wenn du in kürze soldat wirst
genau der kerl, den wir brauchen

tut mir leid, general
mein name ist muhammed ali, kein sklave mehr
soldat werden?
ich nicht

no vietnamese never called me no nigger

Slaves

my uncle, the general, loves boxing
real men they are, hard men

during the vietnam war
he dismisses the voices of protest with
cowards, traitors

his excitement is a complimentary ticket for a muhammed ali fight
a ring side seat, naturally

ali won, as usual
and the general demanded to speak to the victor personally

great fight, cassius clay, strong victory
the army will be proud of you
when you enlist shortly
just the man we need

sorry general
my name is muhammed ali, no longer a slave
enlisting?
not me

no vietnamese never called me no nigger

Gefährliche Bubenstreiche

ach, was muss man doch von bösen
bombern hören oder lesen
die wohl über länder, auen
fliegen um kaputtzuhauen
dies anstatt der neuen lehren
altverwandte zu begehren

ja, zur übeltätigkeit
ist man wieder mal bereit
menschen quälen, gut zerstören
und die welt mit lug betören
als im weltenplädoyer
antwort finden auf ein weh

mancher gibt sich viele müh
mit der weltenpolicy
einesteils des guten wegen
das den grundsatz sollte legen
besonders wenn man dann und wann
fortschritte bemerken kann

jedermann der welt schon kannte
einen der sich max nun nannte
wie und wo und was es auch sei
öl, land, macht, ganz einerlei
alles wollte dieser geck
denn das war sein lebenszweck

doch der moritz, ja, der dachte
wie er's ihm verdriesslich machte
nämlich ganz vor seiner nase
floss viel öl auf 'ner oase
also lautet sein beschluss
dass man was unternehmen muss

nicht allein in rechnungssachen
soll der mensch sich mühe machen
sondern auch verbohrtheit lehren
muss man mit erstaunen hören
dass dies mit geschick geschah
dafür waren beide da

so, die führer unverdrossen
brauchen langbewährte possen
und zu ehren ihrer brunst
loben sie die kriegeskunst
und die stummen brav und bieder
folgen treu den waffen wieder

doch wer böse streiche macht
gibt nicht auf das ende acht

diese war der erste streich
folgt der nächste wohl zugleich?

Träume

ich habe einen traum
sagte er
alte ungerechtigkeiten bekämpfend
er wurde erschossen

ich habe einen traum
sagte er
als er seine leute auf einen würdemarsch führte
um **ihr** salz abzuholen
er wurde umgebracht

ich bin ein träumer
sang er
und ich bin nicht der einzige
er hat recht
er wurde erschossen

ich habe eine Idee
sagte er
und seine freunde in der pop-welt halfen ihm
aus verlegenheit ehrte ihn seine gesellschaft
um ihren traum zu schützen

wir haben einen traum für euch
täuschen jene vor, die eigentlich träume haben sollten
und fahren fort, um die macht zu kämpfen
in ihren demokratischen kammern

ich habe gottvertrauen
sagte sie
die reichen und uns beschämend
für die lässige behandlung der armen

auch ich habe einen traum
aber...
ich bin zu faul
zu sehr ein teil des falschen ganzen
zu bequem zu denken
oder meine eigene sicherheit zu gefährden
sitze zu fest in der falle
bin zu müde
zu alt
wie man es auch wegentschuldigen mag

mich sollte man erschiessen

Dreams

i have a dream
he said
fighting longstanding injustice
he was shot

i have a dream
he said
leading his people on a dignity march
to collect **their** salt
he was assassinated

i' am a dreamer
he sang
but i'm not the only one
he is right
he was shot

i have an idea
he said
and his friends in the pop world helped him
embarrassed, his society honoured him
to protect their dream

we have a dream for you
pretend those who should have dreams
instead continue to fight for power
in their democratic chambers

i have faith
she said
shaming the rich and us for patronising the poor

i have a dream too

but

i' am too lazy
too much part of all that's wrong
too comfortable to think
or rock the boat
too trapped
too tired
too old
you name it

i should be shot

Een Mauerlied (Oktober 1989)

uff de mauer
nee, nich mehr uff de lauer
sitzt ne berliner wanze
kiekt euch mal die wanze an
wie die wanze tanzen kann
uff de mauer
nee, nich mehr uff de lauer
tanzt ne glückliche wanze

erst ham se de mauer jebaut
damit keener abhaut
nu reißen se det prachtstück wieder ab
ooch damit keener mehr abhaut
is det nu logik?

uff de mauer
nee, nich mehr uff de lauer
sitzt denn ooch een vopo
kiekt euch bloss den vopo an
wie der vopo lachen kann
uff de mauer
nee, nich mehr uff de lauer
sitzt een junger vopo
kriegt 'nen kalten popo

et is ne verrückte zeit
komisch det mit de verjangenheit
wenn ik det meene oma erzeehle
die jloobt ma keen wort

kommt ihr denn nu am sonntag wieder?
bestimmt, mir san mit'm radl da
janz bestimmt?
jau, un nich nur wegen de bananen
un wann kommt ihr mal rüber zu uns?

uff de mauer
nee, nich mehr uff de lauer
sitzt ne neue hoffnung
guckt euch mal die hoffnung an
wie die hoffnung feiern kann

vorsicht!
vorsicht!
jedermann!

lasst bloss keene politiker dran !

Materialismus

ich will **mehr** als du
du willst **mehr** als ich
er will **mehr** als sie
sie will **mehr** als er
wir alle wollen **mehr** als sie
sie wollen **mehr** als wir alle

kein wunder

dass so viele in pappkartons schlafen müssen

Materialism

i want **more** than you
you want **more** than me
he wants **more** than her
she wants **more** than him
we all want **more** than them
they want **more** than all of us

no wonder

so many have to sleep in cardboard boxes

Persönliches Chaos

Götterdämmerung

ja, und dann hat sie ganz einfach mal
ihre seele auf eis gelegt
eine seele sonst prall und saftig
war trocken geworden
ausgetrocknet vom vielen geben
dürr und heiß, fiebrig

jetzt tanzen nachts rote teufel um sie herum
schnüren ihr die luft ab
gröhlen, verhöhnen, zerstören
lassen nicht locker
treiben die angst zur spitze
bis sie schreit, spuckt
und ihr körper bebt

in ihr flattern gefangene flügel
gegen lähmende müdigkeit
sie liegt hellwach im chaos der erbarmungslosen nacht
schlaff im endlos hoffnungslosen suchen
nach einer antwort
bis hin zur götterdämmerung

Twilight Zone

yes, she has simply put her soul on ice
a soul usually taut and juicy
has shrivelled up
barren from constant giving
hot and feverish

now, red devils dance for her at night
choking her
mocking, bawling, destroying
won't let go
pushing fear to its limit
until she screams, spits
and her body stiffens

inside flutter trapped wings
against crippling tiredness
she lies awake in the chaos of a pitiless night
languidly, endlessly, hopelessly searching
for an answer
waiting for the twilight of the gods

Das Ausstellungsstück

ich bin doch keine vase
kein schaufensterobjekt
zum knalleffekt
verzückt ins beste licht gerückt
weil ich genau das ausdrück
was imponiert
sogar zum neid verführt

man kann mich kneifen
verpfeifen und abseifen
sogar ankeifen
bezweifeln
oder begreifen
dann und wann erreichen
auch ganz streichen
sonntags erweichen
ganz sacht und lieb auch streicheln

denn ich bin doch keine vase
kein langweiliges, imposantes ding
ohne wasser
nur für löwenmäulchen

Mal ganz unter uns

ich bin dein
du bist mein
so sollte es eigentlich immer sein
ist es aber nicht mehr
leider

war's aber mal
ganz früher
wir drei
im familieneinerlei

und doch gibt's ein immernoch
von mir für dein joch
von dir für mein joch
und von uns für sein joch

ein riss
viel biss
und noch mehr schiss

und doch
doch doch
du altes loch
bin ich dein
du, hoffentlich mein
und so wird es
von mir aus
für immer sein

Der Kittel

und dann war da nur noch der kittel
persilweiss
die tasche schwarz abgesetzt
wie ihre todesanzeige

ein taschentuch verschämt versteckt
zerdrückt, aber noch lebendig
wagt, sich bemerkbar zu machen
auch, wenn nicht mehr ganz so sauber
wie alles andere immer sein musste
denn es war ja so wichtig
was die leute dachten

lebenslange enttäuschungen
und krüppelnde minderwertigkeitsgefühle
werden in eisernen stolz umgesetzt
und beherrschen jede situation
bis zum schluss
kein platz für außergewöhnliches
abenteuerliches, schönes
nahes oder zärtliches
viel zu gefährlich
es könnte ja schiefgehn
und was würden die leute dann von ihr denken?

und gerade deshalb
ging alles wirklich wichtige in ihrem leben
schief

The Pinafore

and then there was only the pinafore
persil-white
a black border around the pocket
black, like her grave-digger's gloves

a handkerchief, embarrassed, hiding
crushed, but still alive
dares to be noticed
even if no longer perfectly clean
like everything else had to be
because it was most important
what people thought of her

life-long disappointments
and a crippling sense of inferiority
are turned into iron pride
to dominate every situation
until the end
no room for the extra-ordinary
adventurous, beautiful
closeness or tenderness
much too dangerous
it could all go wrong
and what would people think of her then

and that's why
everything really important in her life
did go wrong

Bernstein

sie fanden es
zusammen
an dem abend
als die möwen weniger laut waren
das wasser bläulich grau
und der sand feucht zwischen den zehen

sie fanden es
zusammen
einen schatz, glatt, gelblich golden
flora und fauna geheimnisse
behütet, unantastbar

sie verloren es
zusammen
ihr geschenk von neptun
als sie gegen den wind anschrien
diamanten fordernd
den sand feucht zwischen gierigen zehen

Amber

they found it
together
that evening
when the seaguls were less noisy
the water bluish grey
sand, damp between toes

they found it
together
a treasure, smooth, yellowy golden
stifled secrets of flora and fauna
trapped within, untouchable

they lost it
together
their gift from neptune
when screaming against the wind
demanding diamonds
sand, damp between greedy toes

Kommunikationsstörung

in der eigenen dunkelkammer eingekapselt
reden wir aneinander vorbei
ohne es zu merken
rechthaberei
dickköpfigkeit
falscher stolz
scham
versperren den weg zum undurchdringlichen rätsel
du

Lack of Communication

encapsulated in our own darkroom
we talk without communicating
and don't even notice it
obstinacy
stubbornness
false pride
shame
barr the way to the inpenetrable mystery
you

Leichte Beute

der verzweiflungszug hält
sie steigt ein mit ihren vier kindern
drei jungen und ein mädchen

die jungen langweilen sich
zanken, schuppsen und treten einander
das mädchen zappelt auf ihrem schoss
weint

versteckt hinter dunklen brillengläsern
beobachtet er alles
rückt näher
scherzt mit den jungen
weiss genau wie
das mädchen hört auf zu weinen
die frau lächelt, müde, dankbar

dann, komplimente
sie wird rot
es ist lange her
seit man sie überhaupt beachtet hat

sie steigen aus, zusammen
er hilft mit dem gepäck und den jungen
ist nett und geduldig
hält die hand der kleinen
lacht viel
das gefällt ihr

eigentlich nicht sehr lange danach
nennt er sie betörend
das war's dann auch

als sie einschläft
todmüde von seinen geheuchelten liebesspielen
schleicht er sich in das schlafzimmer ihrer kinder

Rapunzel

needed you to wait
until my hair was long enough
to reach you

it stopped growing now
matted
has split ends
gold turning to grey

and yet

up here by the window
the only door bolted
key lost long ago
regrets embrace
the magic of solitude

Sehnsuchts Chaos

Zurückkehren

melodien vergessener bedeutung
verfolgen sie
ein ort ohne schatten
eine bleiche sonne
der wind lautlos

als ihr herz die einsamkeit umarmt
verwandeln sich worte in leuchtende farben

Re-Visiting

melodies of forgotten moments
haunt her
a place without shadows
a pale sun
the wind silent

as her heart embraces solitude
words turn into radiant colours

Soest

wieder richtig zuhause sein dürfen
in tante paulas garten
auf familienerinnerungen warten
die sprache neu kennenlernen
einfach mal wieder westfale sein
noch immer omas plattdeutsch im ohr haben
durch sie den wippspruch am grossen teich übersetzen können
ganz ohne hilfe
kühle auf den schattigen wällen finden
sich beim kattenturm auf die stadtmauer setzen
und das mittelalterliche kriegsgeschrei laut mitschreien

weil sie ja ihre stadt neu erobern will

Restaurant Heimweh

einige leute behaupten
heimweh nach einem ort gibt es nicht
doch
sogar heimweh nach einem besonderen gericht
ganz plötzlich, ohne jeden grund
berührt dich ein leises sehnen
also
steigst du in deiner fantasie in einen zug
ein flugzeug, oder nimmst ein schiff
was auch immer
auf diesem wege bist du ganz schnell da
und schon spazierst du **deine** strasse entlang
dann
langsam, ganz langsam
biegst du um die nächste ecke
und da ist es
hat sich garnicht verändert
das älteste restaurant der stadt
leute sitzen im sonnenschein
lachen, gläser klirren

ein alter kellner
nein, er hat dich nicht erkannt
hilft dir zum tisch
immer noch die gleiche tischdecke?

du brauchst die speisekarte nicht zu lesen
du weisst genau, was du bestellen wirst:

bratwurst
stampfkartoffeln mit gebratenen zwiebelringen
und sauerkaut, natürlich
was sonst?
und ein kleines bier

später, nach dem essen
schlenderst du dann gemütlich über den marktplatz
zum italienischen eis-cafe und bestellst eine cassata
du steckst eine münze in die juke-box
wie immer, ist die musik viel zu krächzend

sonst noch etwas, gnädige frau?

du hattest den kellner ganz vergessen
der noch immer neben dir steht
und auf deine bestellung wartet

die beste bratwurst gibt's bei uns

ich weiß, darum habe ich ja auch die lange reise gemacht

bleiben sie bis zur kirmes?

leider nicht, bleibe nur bis... nicht lange genug
vermisse das alte städtchen
und... ihre bratwurst natürlich

Restaurant Heimweh

some people would argue
you cannot get homesick for a place
you can, you know
even for a certain food
suddenly, for no particular reason
a soft longing touches you
so
in your imagination
you board a train, boat or plane, whatever
this way you'll arrive in no time at all
walking along **your** road
then
slowly, very slowly
you come around that next corner
and there it is
hasn't changed at all
the oldest restaurant in town
people sit in the sunshine
talking, laughing, a tinkle of glasses

an old waiter
no, he wouldn't remember you
helps you to find a table
still the same tablecloth ?

you don't need to read the menu
you know exactly what you have come for :

roast sausage
mashed potatoes with fried onion rings
and sauerkraut, of course, what else?
and a small beer

later, after your meal
you wonder across the market-square
to the italian ice-cream-parlour for a cassata
you put a coin into the juke-box
as always, the music is much too brassy

anything else, madam?

you had forgotten about the waiter standing there
waiting for your order

best sausages in town, madam

i know, came a long way

staying for the festival?

unfortunately not, only staying for.... well, not long enough
do miss the old place
and... your sausages, of course

Kaffeeklatsch

kommt, setzt euch doch!
der kaffee wird sonst kalt

nimm erst mal die blumen da weg!
viel zu dick der strauß
wer hat die nur so patsch mitten auf den tisch gestellt?

was möchtest du?
ein tässchen liebe schwarz und heiss
ohne milch und zucker, bitte
denk an dein herz, sowieso schon kaputt
wie du meinst, dachte nur
vielleicht heute zur feier des tages...

windbeutel?
nee, nich für mich, bin se richtig leid
schneckenhäuschen ja, alles andere is mir einfach zu viel

und du?
stachelbeer, immer noch am leckersten, nich, mit sahne
nimm doch, genug da

du hast noch nichts !
obsttorte?
is mir egal, sieht alles so lecker aus
guck! musste ja passieren
jetzt ist mir doch das stück schnack auf die schöne decke gerutscht
hoffentlich gehn die flecken wieder raus

neues geschirr?
schön, sieht teuer aus
wirklich! so viel?
menschenskind
na ja, ist aber auch was gutes

setz dich doch auch mal hin!
dein geburtstag
bist sicher schon wieder seit sechs auf den beinen
ne pracht der tisch, geschmackvoll
ja, ja, die kann schon was unsere...
macht ihr freude das ganze

was, ihr beide wollt schon gehn?
ich koche noch schnell frischen kaffee
seid ja gerade erst gekommen

is auch wahr, und wir haben noch garnich gesungen
also los!
verschluckt euch nich!
und nich so steif, sonst wird der film murks
alle zusammen:

hoch soll se leben, hoch soll se leben, dreimal.......

Fensterplatz in soest

sie sitzt am offenen fenster
streckt die hand aus
festhalten
damit nichts verlorengeht

nur ein leises summen froher stimmen
belebt die gasse
der fahle himmel wartet auf den sonnenuntergang
mit rosa wolken

unten, kopfsteinpflaster
grünschillernde lichtflecken tanzen auf regenlachen
edelsteinfarben auf schmutzigen fensterscheiben
bis ein silbriges licht
mit kalten strahlen den zauber bricht

eine mutige rose hat das fenster erreicht
klammert sich am fensterbrett fest
und erfüllt ihr zimmer mit einem duft
neuer hoffnung

Window-seat in Soest

she is sitting at the open window
puts her hand out
to hold it
so that nothing should drift away

only a soft humming of voices
gives life to the alley
the pale sky is waiting for the sunset
scattering pink clouds

down below, cobblestones
green sparkles of light dance on rain puddles
a jewel-like glow on dirty window panes
until a silvery light destroys the magic
with cold rays

a brave rose has reached the window
holds on tightly to the sill
and fills her room with a fragrance
of new hope

Heimkehr zur Weihnacht

die glocken hatten sie gerufen
aber die blauen fenster
in der kirche mit dem zwiebelturm
sind dunkel, fremd
und die weihnachtskrippe im dom
ist zu erwachsen

doch das gloria-singen
und die trompetentöne
vibrieren noch genauso stotternd vom turm
wie immer
eisiger winterabendzauber
gloria in excelsis deo

Das Nest

sie kehrt zurück in das zimmer
mit den blauen und gelben kissen
zwei lebkuchenherzen von der allerheiligenkirmes
mit den worten
für meinen besten und **dufte biene**
baumeln geduldig verstaubt
über dem bett

schnell öffnet sie das fenster
um richtig durchzulüften
aber nur bis zur kippe
und schon gehört sie wieder zur sippe

Regenbogenzüge

man könnte sagen
auf einem bahnsteig küsst es sich eigentlich leichter
als unter einem regenbogen
aber dann auch wieder nicht

wenn man nun die wahl hätte
auf einen zug zu warten
oder auf einen regenbogen
dann sollte man doch wirklich überlegen
wo man ein taschentuch braucht
und wo keins
denn winktücher können teuer werden
auf die dauer
besonders wenn man sie zu oft benutzt

vielleicht sollte man sich doch besser
für das küssen unter einem regenbogen entscheiden
weil man dann sowieso weiß
dass es unwichtig bleibt
ob der zug nun abfährt
oder ankommt

Rainbow-Trains

you could say
it is easier to kiss at a railway station
then under a rainbow
but perhaps not

if you had the choice
whether to wait for a train
or for a rainbow
you should carefully consider
where you would most likely need a handkerchief
and where you wouldn't
because tears can turn out to be very expensive
in the long run
especially if you wave the train out of the station
too often

perhaps you'd better kiss under a rainbow
because you'd know then
that it is completely unimportant
whether the train is departing
or arriving

Generationen

älter sein sollte eigentlich schön sein
ist es auch oft
aber man macht sich doch auch wieder sorgen
hat der sohn die richtige frau
die tochter einen lieben mann
sind sie glücklich, zufrieden, gesund
hoffentlich haben sie keine geldsorgen
und dann
wächst schon die nächste generation heran

mit neuen träumen
ansichten
oft besser als die alten
und doch bleibt vieles gleich
liebe
leid
einsamkeit
wechseln wie die jahreszeit

ganz alt sein sollte eigentlich auch noch schön sein
ist es auch, ab und zu
besonders wenn man tapfer ist
viele enttäuschungen vergisst
was nützt verzagen?
wer wagt gewinnt!
noch immer weht ein starker wind der hoffnung
auf ein liebes Wort
bei kaffee und kuchen im familienhort

lacht mit uns, kinder der vergangenheit!
was wären wir, wenn ihr nicht seid?

Drei Geisterpäckchen

Es passierte am 6. Dezember 1944 am Sankt Nikolaustag. Vater hat zwei seiner Arbeitskollegen aus der Munitionsfabrik eingeladen, den Nikolaus und Knecht Ruprecht für uns Kinder zu spielen. Wir warten wieder einmal auf das Klopfen an der Haustür. Mein jüngster Bruder, ja, den gab es damals noch, hat sich unter dem Küchentisch versteckt. Ab und zu hebt er einen Zipfel der Tischdecke ein wenig hoch und schreit ganz laut:
Richtige Bonbons gibt s ja doch nicht!
Wie recht er hat. Dies ganze Spektakel um ein paar Stückchen braunen Kandiszucker und alten, muffigen Keks. Spielzeug gibt's schon lange nicht mehr.

Viele Leute halten an alten Traditionen fest, besonders in Kriegszeiten. Vielleicht um sich ein Gefühl der Sicherheit vorzutäuschen. Für uns Kinder wäre es bestimmt besser gewesen, wenn es diese Nikolaustradition zwischen Bombenangriffen nicht gegeben hätte. Dieses Jahr befürchten wir besonders, dass Knecht Ruprecht uns in seinen Sack stecken und mitnehmen wird. Unser kleiner Bruder hat die größte Angst. Er ist ein lautes, lebendiges Kind, ein Schlingel, voller kleiner Dummheiten. Sonntags, wenn wir unsere besten Kleider anhaben, um Oma zu besuchen und man immer wieder warnt, uns nicht schmutzig zu machen, sitzt er plötzlich mitten in einer Pfütze, lacht, planscht und fängt Regentropfen mit offenem Mund. Dann ist er aber auch wieder der einzige, der dem Kanarienvogel Mut zuflüstert, bevor er den Käfig zudeckt, wenn es Fliegeralarm gibt. Er hasst Karotten, fischt sie aus jedem Eintopf, liebt aber Omas Brennessel-Spinat. Zum Kindergarten will er nie gehen, weil er die Schuhe seines älteren Bruders tragen muss. Die sind natürlich viel zu groß. Er kann ganz leise und süß singen. Opa hat ihm viele Kinderliedchen beigebracht. Flöten kann er auch. Der Vogel und er flöten oft um die Wette. Aber er weigert sich, Frösche mit einem Strohhalm aufzublasen, bis sie platzen.

Jetzt klopft es wirklich an der Haustür. Sie kommen in die Küche. Der Nikolaus ist dieses Jahr ein freundlicher, gütiger Mann mit einem besonders langen, weißen Bart. Seine Stimme ist tief und warm. Er lobt unsere guten Taten. Es gibt kaum etwas in seinem roten Buch, für das er uns tadeln muss. Nur hier und da ein paar Kleinigkeiten. Dankbar singen wir ein Nikolauslied und sagen ein Gedicht auf. Zur Belohnung erhalten wir braunen Kandiszucker und muffige Kekse. Er lächelt und streicht uns übers Haar. Nur unser kleiner Bruder regt sich nicht, bleibt mäuschenstill unterm Tisch. Knecht Ruprecht aber ist der schrecklichste, den wir je hatten. Er riecht nach Bier, schlägt mit der Reisigrute um sich, schimpft und hat vieles zu bemängeln. Unser Bruder weigert sich aus seinem Versteck zu kommen. Da schreit Knecht Ruprecht laut:
Du bist das ungezogenste Kind in dieser Stadt. Diesmal nehme ich dich in meinem Sack mit. Komm sofort raus!
Kaum hat er seine Drohung beendet, da schießt mein Bruder unterm Tisch hervor. Terror in seinem kleinen, blassen Gesicht. Er rennt mit voller Wucht gegen Knecht Ruprecht, stößt ihn so lange, bis er umfällt. Woher kommt nur diese Kraft? Dann rennt er aus dem Haus. Zur gleichen Zeit heulen die Sirenen los. Schon wieder ein Fliegeralarm. Meine Eltern laufen rufend hinter meinem Bruder her. Mein älterer Bruder und ich

bleiben weinend zurück. Der gütige Weihnachtsmann nimmt seinen weißen Bart ab:

Kommt Kinder, wir müssen jetzt schnell in den Bunker!

Wir haben genug Übung unseren Weg allein dorthin zu finden. Wir hören noch, wie Knecht Ruprecht auf der Toilette kotzt.

In dieser Nacht wurde unser Bruder tot aufgefunden. Wir wissen bis heute nicht, was mit Knecht Ruprecht passiert ist. Niemand hat ihn je wiedergesehen.

Von dem Jahr an hat es in unserer Familie keinen Nikolaustag mehr gegeben. Aber dann, ganz unverhofft, eine geraume Zeit nach Kriegsende, liegen plötzlich jedes Jahr am 6. Dezember drei Geisterpäckchen vor unserer Haustür. Zwei für meine Brüder, das dritte für mich. Sie enthalten immer das gleiche:

- **Reisigzweige**
- **ein rotes Buch mit unseren guten und bösen Taten für das Jahr (oft unheimlich korrekt)**
- **ein paar Stückchen Kandiszucker**
- **und alte, muffige Kekse**

Falsch

mehr als nur der sonnenschein
bringt mich dazu
den käfig beim fenster zu öffnen

der gelbe vogel
klein
zögernd
vertraut meinem entschluss
und entflieht

ich wusste
es war falsch
für den vogel

plötzlich
fallen rote regentropfen
auf die fensterbank

Wrong

more than sunshine
is tempting me
to open the cage by the window

the yellow bird
small
hesitant
trusts my judgement
and escapes

i knew
it was wrong
for the bird

suddenly
red raindrops fall
onto the window-sill

Sieben Siegel

Zuerst schwankten die Sargträger unter seinem Gewicht, aber dann wurde der Sarg leichter und leichter, so erzählte man später. Auch, dass eine Herde Kühe in der Nähe des Friedhofs in wilder Panik davon stürmte. Was uns bleibt, ist das grau-weisse Foto eines dunklen Mannes mit schweren Lidern, in seiner Hand das Buch mit sieben Siegeln. Einmal im Jahr trug er dieses Buch hoch ins Gebirge zu **seinem** Stein. Dann wurde der Himmel über dem Tal von Caio dunkel. Es donnerte, als er das Buch öffnete und ein Engel sprach zu ihm:

Nur wer es wert ist, das Buch zu öffnen,
dem öffnen sich auch die sieben Siegel.

Jetzt liegt sein dunkler, glatter Stein vereinsamt und verwundet im Gebirge unter einem Holunderbaum. Die Leute der Gegend haben versucht an sein Geheimnis zu kommen, mit Spitzhacke und anderem scharfen Werkzeug. Vergebens! Also, solltest du doch einmal ins Tal von Caio kommen, vergiss nicht das Grab von **Doktor John Harries**, Arzt, Astrologe und Zauberer zu besuchen. Aber Vorsicht!

Do not cut down an elder tree
or a death in your house will be

Fälle nie einen Holunderbaum
sonst kommt der Tod, du merkst es kaum

Dyn Hybys

at first, the bearers staggered under his weigth
but then, the coffin got lighter and lighter
so they said later
and a herd of cows stampeded in a field
near the graveyard
terrified

what remains for us
is a brown and white photograph
of a dark, heavy-lidded man
in his right hand a book
sealed with seven seals

i conjure thee, thou great and potent prince...

once a year
when he carried his book to the mountain
to **his** stone
the skies darkened
over the vale of caio
thunder rolled, as he opened it
and an angel proclaimed in a loud voice:

who is worthy to open the book
and loosen the seals thereof ?

now **his** stone
a dark and smooth boulder
lies under an elder tree
cut into by local people
in search for its powers

so

should you come to the vale of caio
remember to look for the grave of
doctor john harries of pantcoy
medicine man, astrologer and conjurer

but beware !

do not cut down an elder tree
because
a death in your house will be

Colourful Chaos

Linda Goulden - Chaos 5

political chaos

Resolutions

let's match the greatness of our dreams
with sharp surgical thought
inject imagination with anger
but also with optimism

we need healthy thinking power
irony and cynicism
have anaesthetised us far too long
in times of egotism
surfaces are kept germ-free
even sparkling

our own value ranks
below that of dust-gathering objects
spiritual starvation
and commercial oppression
strangle alternatives

with pus-dripping values
we continue to rot
among other infected vegetables

Word Watching

the sky is exploding with words
flying in
to occupy their nesting place on the solid rock
surrounded by oceans of silence

acid words settle comfortably next to ridicule
the wounding keep away from the healing
a single loving word shivers alone
pushed to the back
by a group of bitter, angry, hysterical utterances

a united delegation of busy but meaningless words
intimidates a few modest, shy, lost and confused
two enchanting peacemakers try to intervene
helped by a colourful but unstable gathering

another group of confident too often influential expressions
believe in transformation
but a large congregation of deadly words remains sceptical
backed by expert concealers

the thoughtless twitter on happily
in unison with those neglected by feelings
words said and not meant
words meant and not said
slowly pollute the rock with vaste

this endless stream of expression
forces the oceans to rebel, rise, even threaten
to defend and protect wordlessness and stillness
listening beyond words
to be heard and understood without explanation
in a place of dreams, ideas, desires contemplation
meditation and serenity
a place where words are inadequate
powerless
where silence lives in harmony with gesture
and a smile

private chaos

Past times

once upon a time there lived a warden an a rock among millions of words. she lived there for a long, long time alone in a sturdy, wooden house surrounded by icy waters, glorious bluebells in spring, high, dancing grasses in summer, rust and white heather clumps in autumn, gails and patchy snow in winter. to the north side a few, old trees bent over too much. their trunks covered in moss and green slime.
on a good day she sits, waiting for the sky to explode with words. she watches them, flying in to occupy their usual nesting place. acid words settle comfortably next to ridicule. the wounding keep away from the healing. a single, loving word shivers alone, pushed back by a group of bitter, angry, hysterical utterances.
she reaches for the shivering one. holds it in both hands and carries it home. there, a glowing fire helps to strengthen it again, soon to be returned to the others. perhaps to a different grouping where it might be appreciated.
this is her work. to live with words. nurture them, protect them, if necessary and return them to their habitat.
not an easy task. she feels responsible for their welfare. obsessed. likes to play with them. study their behaviour and breeding habits. life is never dull on the rock. not for her.
today, a large group of oldies, not her favourite kind, have gathered outside, tormenting her continously since breakfast. refuse to leave. sitting there in the sunshine, demanding recognition, now. she joins them reluctantly when the sun colours the waters a painful red:
preparations for her sister's wedding have been going an for ages. she is in the way all the time. but there is grandma, always

grandma whose kitchen is more like a small livingroom where every piece of furniture is too big. you step through the door and find yourself in front of a large, rectangular table with a lace cloth. behind the table a sofa, full of fancy cushions, all lined up. no-body ever sits an the sofa.
grandma, propped up in her armchair leaning against a square feather pillow. her face small. large, very blue eyes and a plait of brownish hair wrapped all around her head. she wears a pinafore dress, darkish, and a purple blouse.
to her left, not more than an inch away a tall cupboard with glass doors. lace curtains on the inside, so you cannot see what is hidden there. she knows, though. cups, saucers, sugar, butter and black treacle. on top of another, smaller cupboard two, white, enamel buckets, full of fresh drinking water from the well.
but the most important pieces of furniture, two visitor's chairs. heavy, wooden with tall backs and soft seats. one, next to the stove, the other by the always open window. her favourite. there she sits, opposite grandma's smile. never says much.
when it is just the two of them grandma reaches for her stick by the sofa. slowly, very slowly she forces herself up out of the armchair. one of her specially made shoes is heavy, black and bulky. she limps over to the tall cupboard, then back to the table, pushes the lace cloth aside to cut a large slice of bread with an enormous knife, spreads butter and treacle on it and hands it to her. there she sits eating, safe and warm, a smell of cinnamon all around her. she often wondered where the smell came from. the very moment you stepped into the tiny house, felt your way through the dark, narrow hallway up some steep steps, the smell was there. even grandma seemed to smell of it. she also wondered what had happened to grandma's back but

could never bring herself to ask because ruth, horrible ruth from over the road and her brother called grandma quasimodo, pointing to the church. she asked mother to explain. no answer. anyway, it doesn't really matter.
one day, just before the wedding grandma said
i've got a surprise for you.
she pulls a box from under her armchair. opens it. and there it is, the most beautiful, red hat she's ever seen.
it's lovely, grandma! try it on.
she looks so happy.
does it suit me?
oh, it does. red is my favourite colour too.
don't tell anyone yet. our secret.
spring. a sunny wedding day. relatives and friends. her cousin from the city. also, some people she doesn't like very much. all festive, smiling at her. she is waiting. wait, til they see grandma's hat. but why is she so late? one of her cousins hides with her under the table. they start to giggle over nothing at all and can't stop. they lift the table cloth now and then to look out for grandma.
there she is at last. a black, lacy dress and the secret, red hat. they call her from under the table. she laughs, comes over and says:
shall we go up and see whether the bride is ready yet?
grandma knocks on the bedroom door. mother shouts:
wait, wait we are not ready yet.
but it's grandma, mum.
the door opens. mother staring at grandma, speechless. closing the door she says:
sorry, mother-in-law you cannot came in. the room is too small for all of us. we'll be down in a minute.

grandma doesn't say anything. they go back down into the back-kitchen. but she creeps back upstairs. waits outside the bedroom door. she so wants to be the first to see the bride. then, mother's voice behind the door, shouting, angry
how could she do that to us? bright red i tell you. an enormous red hat and a handbag to match. she must be going senile.
she doesn't understand and doesn't want to be the first to see the bride anymore. she goes downstairs, looking for grandma. finds her by the sink drying glasses. grandma looks sad and has taken her beautiful hat off.
aren't you coming to the church with us?
no, child.
she says:
there is too much to do here. you go!
someone has to stay behind to look after the house.

the words, still close, sit with her in the dark, silent now. she needs to touch them once more. stroke grandma's red hat. tickle her cousin and ignore mother, completely. much later, she reminds the group not to overstay their welcome.

Before and After

the sail flutters and flaps
before it comes down
then quiet
only a gentle murmur
as the boat glides through sun streaks

stepping down into the cabin
images of the island return
wild flowers
smooth rocks to walk on, barefoot
gulls shrieking, diving down
gone mad
protecting their eggs

the air between us tingles
fumbling
it hurts
then it is all over
disappointing in a way

Violets

she has stopped dusting the figurine
on the new mantel-piece
spits into its face
a bluish-white face
delicately ugly but perfectly innocent

memories intrude at random
as she strokes the hard pleats
of the sculptured ball-gown
memories of her shy, hand-embroidered dress
covered in violets
long, without shoulder straps
pretending to be adult
extravagantly modest
fragantly light and vulnerable

the figurine has slipped from her hand

she brushes the blue and white heap of pain
under the carpet

The Contract

Soest, at last. The train stops. Struggeling with my case. A taxi driver is walking straight over to me. Seems to know me. Speaks perfect English. Knows my name.

Remember you from last year, he says.

Odd, very odd. I don't remember him. Must have a fantastic memory. He carries my case. Knows where I'm going, the address, everything.

Here we are, Bill, Königstrasse 11. Don't forget your case.

He fetches it from the boot. Number 11. Yes. That's the door alright. Green? Sure it was red last year. The bell. Come on! Hurry up! Come on, open the door somebody!

Mother???

Bill, I don't believe it. Come in, come in, son. What are you doing in Germany? Where's Mary?

I've come to visit you in hospital. Bring you grapes, that sort of thing.

I know, I know. Don't just stand there, shell-shocked. Come on in, Bill. Always the joker, aren't you? I know your pranks. In hospital, me?

A good one that. Why should I be in hospital? Look at me, do I look sick?

Your accident, mother?

Accident, eh? Your best one yet. A bit far fetched this one, Bill. Don't you think so yourself? You never change. Anything for a laugh. Girls, come and see who's here.

Strange, very strange. Who would play a cruel prank like that on anyone? Not even me. Mother is fine, not a thing wrong with her. Nothing. No accident. No hospital. And John is on manoeuvres, so mother says. Away for a week and Jane his wife too, visiting friends.

Will they be sorry they've missed you, Bill.

Unbelievable, really. Better just go along with things. It'll sort itself out. Bound to. Who would make me come all this way from Liverpool for nothing? Was worried out of my mind about mother. Or is it simply a misunderstanding? I should have known it wasn't John's voice an the phone. Bad line, me foot. But why?

Yes, it'll sort itself out. Mother is so happy to see me and my brother's girls. Better not spoil it for them. Just go along, laugh it off. Leave mother to think its a surprise visit, one of my practical jokes, nothing else. Worried though, really worried. Better not show it.

They even have guest rooms in these married quarters. Not bad this army lark. As long as there isn't a war, that is.

Do I unpack my case now or later? Better get a good wash first, put a clean shirt on to please mother, then go down to phone Mary. Tell her mother is okay, some sort of misunderstanding. Wonder what she'll say to that?

Sticking a bit, this case. Still too new. Hope, Mary has packed my shaving. Wait, now wait one minute! This whole thing is getting out of hand. Someone is going too far. What's that there in the case?

Yes, mother, I 'm on my way down.

Mother thinks there's something wrong between me and Mary. A subtle question here, another there.

Didn't she want to come with you, son? That sort of thing. Can't concentrate at all. Too stunned about the case upstairs. About everything really. What's going on? First the hoax phone call, now this in the case.

Cooked you your favourite, son. Come and sit down.

Can't eat a thing. Have to force something down or mother will be hurt. Such a good meal. She's always enjoyed feeding people. What do I do? Mother wants me to phone Mary immediately.

She needs to know, that you've arrived safely.

She'll be worried, Bill.

Have to play for time. Don't want to phone Mary. Don't know, what to tell her. Not yet, anyway. And what about the case upstairs? Nobody could possibly believe what's happening to me here. Need more time. Time to think. Sort thinks out. I'll phone Mary later, yes, much later. And what do I tell mother in the meantime? I know.

They don't like it in Mary's office when people phone during working hours, mother. I'll phone her later when she's at home. Don't want everybody to know our business, anyway.

Mother nods. The best I can do for now. What on earth is happening to me?

You don't look too good, son.

I'm fine Mum, honest.

Lie down for an hour, the rest will do you good. Such a long journey. I 'm going to the supermarket taking the girls. Back in an hour or so.

Off they go. Suits me fine, that. Time to investigate, upstairs, the case, properly.

Have to sit down. Can't believe it. The case packed to the brim with banknotes, neatly bundled. Never seen anything like it. Never been any good at making money, myself. Some people are, not me.

Did anyone see me with that case? Of course, the taxi driver did. He fetched it from his boot, gave it to me. Knew my name and

where I was going. Is it my case? Of course it is, or one very much like mine.
Have to phone Mary before mother and the girls get back. Yes, have to do that first. Best if I lie to Mary for now.
Mary, it's me. I'm alright, just a bit upset. A car accident, yes. Could have been worse, nobody else hurt, no.
No, no need to come over, honestly.
No, you can't speak to them at the moment. John and Jane are both at home with their girls. I'm phoning from hospital. Their phone is still out of order, so don't even try to. They'll contact you tomorrow, they said. The girls? Yes, love, yes, I'll tell them. A bit hectic here. The shock, John overreacted, I think. No need to worry now. I'll phone again later tonight, very late, from a phone box. Mother is going to be alright. That's that. What next? Better hide the money somewhere. A bin bag, yes, that should do it. Put it all in there and under the bed. What if that taxi driver notices he has got the wrong case? What if he calls? Do I tell him I know about the money? Whose money is it? Where did he get it? He probably wouldn't want me to know. Of course not. I can't take it back to him, can I? Don't even remember what he looks like.
The police? What would I say? Would they believe me? No, they certainly would not. Nobody would.
The phone. Who can that be? Better answer it.
Yes? Bill? Who is speaking, please?
A friend, Bill, your only friend. Did you find it then, Bill? Did you? Don 't know, what you are talking about.
But you do, Bill, You do. The money, Bill, the money. All yours, if...
Who are you? You can have it back, you know. I won't

say anything, honest, I won't.
Are you listening, Bill? It's all yours, all yours.
I don't want it. You can have it back. Come and pick it up, now, this minute.
But you do want it, Bill. I know, you do. Money is the only thing you believe in, don't you, Bill? I know your secret. Listen carefully, here are my instructions!
With the money comes a contract in a red envelope. Sign the contract and the money is yours. Then take it to the taxi driver at the station. He knows you, remember. Should you however decide against my proposal, which I very much doubt, simply return the case with the money to the taxi driver. That's all, Bill. Easy. Do it, Bill, your only chance ever to have loads of money.
Click!
I am going to wake up any minute now, I know I am. This sort of thing does not happen to people. In films perhaps, but... Calm down! I have to calm down. Think! Better go upstairs first, have a look for the envelope. A hoax, that's all this is. Didn't see an envelope when I put the money in the bin bag. It won't be there. Calm, stay calm! Sit on the bed. Look! Red, did he say red? A red envelope? Would you believe it, there it is. Didn't notice it before. I'm frightened.

Dear Bill,
I have watched you for years making ends meet, envious of us who have money. You have a beautiful wife. You want her to have better things, a better house, especially with a garden, a good car. I'll buy it all for her. She also wants children, badly. It is your fault the doctor said, didn't he? Let her go. She'll be better

off without you. All you need to do, sign the contract. (enclosed) Then write a letter to your wife, telling her you have fallen in love with another woman. You are not coming back home, that sort of thing.
After that, disappear with the money. It's yours, I promise. Forget work responsibilities and encounter life's pleasures.
When some time has passed I'll approach your wife, woo her. You know what I mean. She'll never find out. Not from me. Don't waste your once-in- a - lifetime chance to be a rich man.

Yours sincerely

A Friend

This is too much. The fella, whoever he is, is out of his mind. I'm going to take the money back right now. I'll walk to the station. It's not that far. Who the hell does he think he is?
Alright, I admit I always wanted to be rich, be someone. You would, wouldn't you? Be more confident. Another 30 years in that dead-end job gives me the shudders. Bored out of me skull. Never getting anywhere fast. Exploited. Bossed about by that stuck-up employer of mine. But what about Mary? My Mary? It was love at first sight. We are happy, very happy. She teases me sometimes. Her money, money, money Bill, she calls me. I am perhaps. Well, what else is there? Go on, tell me. Everybody wants money and plenty of it. Mary too. She only pretends it is not all that important to her for my sake. She could have had anyone my Mary. Doesn't say much now about the children. Doesn't want to hurt me. She would make a good mother. Does look sad sometimes.
Maybe the fella is right after all. No, he isn't. What the hell is the

matter with me? He would never stick to the contract anyway. Mind you, he might because Mary would never love him if she found out about the contract. So, he'll make absolutely sure she never does.
Mary loves me, I know that. Always has. She'll be terribly hurt to think I left her for another woman. I never wanted anyone else. What if Mary refuses to marry him? He would definitely want the money back then. I'm not giving it back to him, that's his bad luck.
Stop!
Stop!
Stop!
Now! What the hell am I thinking? Where is my coat?
Ding dong, ding dong.
What's that?
Of course, of course, they are back from the supermarket. Ding dong, ding dong.
Alright, alright, I'm coming.

Sorry, Bill. We forgot to take the key. Were you asleep?
I was sort of. Actually, mother, girls I don't feel too good. Hope, you don't mind if I go straight back to bed.
Mother fell for it. Likes fussing over people.
You do that, Bill. Don't worry about us. You'll feel better by tomorrow. By the way, mother, Mary phoned while you were out. She's working late, sorry she missed everyone. Sends her love, especially to the girls. She'll call again tomorrow.
That excuse should hold for a while. Give me time to think what to do. Maybe I'll sneak out when they are all in bed, take the suitcase back to the station to that phoney taxi driver. Knew he

was odd, very. But will he be there? We'll see. I'll show him. He can have it back, all of it. Some people think they can buy anything. I'll prove him wrong, whoever he is. Buy my Mary, ridiculous. It must be someone who knows us well. A. Friend he signs himself. Don't make me laugh! A friend, me arse, a snake more like. Preying an people's weaknesses.
Still raining heavy. Hope, it stops later. Don't fancy getting drenched through. It'll only take an hour at the very most. Not all that far, the station. Hope, I remember the way. Should do. I'll show the bastard! Why pick on me? Must have been pretty sure I'd agree to it. A case full of bank-notes, wonder how much it is? The audacity of it all! Probably thinks he knows me better than I know myself.
And poor Mary doesn't even know, what's going on. I know, she thinks I'm never going to be really happy without lots of money. She is right, of course. Shouts at me. Ungrateful, she calls me. We do have each other, she says. A modest home, yes, without the garden she deserves, modest savings. Modest, modest, modest, that's us, and honest and hard working. Never getting anywhere fast.
Would I give it all up for the right kind of money? How wrong he can be, the bast... I'll show him.

Next morning. A beautiful day. Sunshine and roses and hope.

Bill, breakfast.
Right down, mother.
Did you sleep alright, son? That matress is a bit hard. Good for your back, though. Anyway, today is a new day. Look, Bill, look at the three of us.

We are all ready for the zoo, aren't we girls? Got up early, picnic ready. Fancy coming? Such a glorious day, promised the girls ages ago.

Sorry, Mum, girls, have to leave now, this very minute.

There he goes again, girls. You know your uncle Bill, don't you? He 's only joking, I know him. Just look at the girls' faces, Bill.

I'm not joking, mother, sorry.

You never said last night. Why didn't you? You could have...

Lots on me mind, Mum .

When will we see you again then? In the summer, this time? Yes, do come in the summer, in June or July with Mary.

Not quite sure, Mum, but you know me, don't you? Might surprise you yet again. And by the way, you wouldn't have a stamp handy, would you? Have to post this letter. Very urgent.

Who to Bill? Is it a letter for Mary?

No, no, not a letter, more of a note really. Scribbled it down quickly this morning.

flying foxes

once upon a long, long time
a lovelorn vixen played divine
enticed by a parrot, a green-plumaged fool
she outfoxed nature's holy rule

they met in secret, day after day
amongst a glorious array
of crimson fruit, bite after bite
he croaking warnings, she wanting flight

they coupled soon in splendid style
it was big news for quite a while
their child, **chiroptera,** happily grew
till one dark night it suddenly flew

on wide and strong, taut, leathery wings
and now a piercing echo rings
from warm, lush islands across the beach
where twisted fox-love cannot reach

alone and saddened sits the vixen
no more foxing, no more fixing
without the love of her parrot fool
who flew away, used, just a tool

her dreams to fly an parrot wings
and all the. other magic things
gave life to a precursory child
now independent, in first flight

still blind to joyous, forbidden pacts
it hangs upside down, ignoring facts
afraid to embrace love's abundant powers
it hides away in deafening towers

Useless Ornament

she convinced herself
she must have him
a musical figurine
with a bad back
lazing on the mantelpiece
expensive

it takes all her energy
to keep him happy
because he is good to her children
she believes
an expert pretender
who knows
on which side his bread is buttered

will she notice the hidden crack
in his smile
or will her hormone over-dose
continue to cover the truth?

The French Mistress

her bed, a stage
falls of golden brocade looped back
with strings of white fake pearls
pour down the hills of lace-edged pillows
and silk apricot sheets
lampshades balloon pink and frilly
like her underskirts
a bottle of champagne
draped with a fringed gypsy shawl
his latest red roses

the play
clever simulations of ecstacy
on a perfumed afternoon

the coquette
never the tragic heroine
amplebodied
almond shaped eyes
hair tossed back
to reveal heavy green earrings
offers her black fishnet-stocking-tricks
purple garters
covered in forget-me-nots
and ankle boots, red
buttoned on one side

rusty tools
to rescue need and dreams
for both of them

in the evening
he returns by train
greeting his wife with fond kisses

Hunting

it started innocently enough one week in spring with a long, soft scarf in imitation leopardskin fabric. she wore it with her black see-through blouse. it looked good. the following week she bought a pair of earrings to match, clip-ons. black blouse, scarf and earrings, a perfect combination, she thought. by Friday, pay day, the black blouse seemed wrong and was instantly replaced by a leopardskin one, warm, tight with long sleeves. her fingers stroked the soft material often. she even purred. then came the skirt. same material. she couldn't resist. a little old-fashioned perhaps, with pleats and a elasticated waist for comfort. she would have preferred the longer style with a split right up one side , up to her thigh. mind you, she bought a dress in that style.

to find shoes to match was more difficult but an exclusive shoe shop did have just one pair of open sandals. much too expensive, of course. she used her credit card and hoped for the best, adding the price for a small handbag with a long golden chain, shiny leather at the back, the flap leopard, what else?
when the colder, rainy weather started she needed a pair of boots, a hat and a long, cuddly coat, all in her favourite animal print. small items like gloves and an umbrella could be added easily. hankies, no. but a dressing gown, pyjamas, nighty, underwear, (an enormous selection) ,swimwear, bedding, throws and cushions for the sofa, no trouble at all. her fabric is "in".
every morning when she wakes up, she is happy. another day full of purpose, hunting for things in her favourite look. most main shops get new stock in at least once a week. the shop

assistants know her well. they smile a false smile when she enters, leopard from top to bottom. she is usually their first customer.

egg cups, please?

sorry madam, not yet. perhaps by next thursday when the new stock arrives. but tights and socks are new in, on the ground floor.

the furniture van arrived this morning and replaced her 3-piece-suite. now she can relax on soft imitation skin in front of the telly.

she knows, it will take time to replace everything, make it all match. but that is the fun of it all, isn't it?

one thing she wouldn't do is to buy real fur. after all, she is an animal lover. leopards are a protected species.

she has put a great big poster of a leopard family up in the loo. very colourful. and she has bought a couple of wild-life videos. everytime, after watching them, especially the small leopard cubs, she phones the local zoo to complain about their inadequate cages for wild animals.

much too small. disgraceful.

mentioning also, that she would never have a real leopardskin, especially not one with a head, in front of her gas-fire. she is quite certain about that.

and yet, her own hunting for leopard continues. until one day. suddenly she realises that imitation does not satisfy her anymore. the craving for the real thing has started.

it began when she met jack. she knew at once, he was right for her. she was especially pleased when he refused to buy imitation leopardskin car seat covers for his expensive car.

too cheap looking, common he said.

i like black. more elegant, stylish, classy.

black, well, she could put that black blouse back on again. a bit of variation wouldn't do any harm. a small sacrifice to please jack, for a while, anyway.

here comes the lady all in black.

the shop assistants now say.

wonder what happened? did anyone die?

what they do not know is, that she has promised to marry jack, but only if he buys her a real leopardskin coat.

historical chaos

Saudade

it is good friday again. his servant finds him in the old church in Alcobaca. he should have known. cares for him long enough, to know. there he is by the marble sarcophagus, close to Dona Ines, surrounded by playing angels, asleep.
Ines de Castro, now with the insignia of a queen, veil and crown under a canopy of pearls, her right hand playing with a necklace, her left hand holding a glove, carried on a golden bier, by her murderers, in animal form.
along the sides of her shrine, scenes from the life of Christ and Portugal's coats of arms, but also arms of her Spanish family, de Castro. scenes from the cruzifiction at the top end and at her feet delicate filigree figures depicting judgement day. opposite, another sarcophagus, foot to foot with Ines'.
the old man is waking, confused, mumbling
Caterine, Caterine my only love.
he kisses Ines' cold, marble hand. his servant talks to him, softly. helps him down and leads him out of the church. he has lost his eye-patch and looks even more vulnerable. after years of crippling poverty they live a modest life now.
The Lusiades have been published with the approval of the censor of the Holy Office as containing
nothing scandalous nor contrary to faith and morals.
its creator is granted a tiny royal pension for
the adequacy of the book he wrote on Indian matters.
what an understatement!
The Lusiades, one of the greatest epic poems of the Renaissance, immortalising Portugal's voyages of discovery. at its centre Vasco da Gama's pioneer voyage via Southern Africa to India in 1497. also, the poet himself is the first European

artist to cross the equator. his poem celebrates a turning-point in mankind's knowledge of the world uniting the old map of the heavens with the newly discovered terrain on earth.
but it also warns of the precariousness of power and the rise and decline of nations, threatened not only from the outside but also from within because of loss of integrity and vision.
his servant understands better than anyone how much they have in common, **Luis Vaz de Camoes** and **Ines de Castro**. both suffered injustice, violence and neglect at the hands of their rulers.
it is the year 1544 in Lisbon. the poet is still mixing on the fringe of the court with others of minor aristocracy, writing lyrical poetry and comedies.the servant remembers the day which changed the poet's life. a good friday, in church, when Luis falls hopelessly in love with **Caterine de Ataide** , a beautiful, blonde 13-year-old. their love affair causes outrage and the poet is exiled into his destiny. for many years he writes letters to Caterine which she never answers. however, Caterine remains the only love in Camoes' life.
and what about Ines, the Lady whose shrine the poet visits every good friday since his return to Portugal?
in Coimbra at the bank of the river Mondego stands a lonely house named Quinta das Lagrimas, the house of tears. its secrets are protected from intruders by a wild, thorny garden, hidden amongst mud, thistles, nettles and pale, wild roses. a dead fountain, Fontes dos Amores, once the fountain of lovers is now visited at night by the sad, lonely and betrayed who offer their tears to Ines and Don Pedro. Ines de Castro, blonde like the maize on the fields around the Abbey of Santa Clara is an outsider in a land where women are proud of their long dark hair. Ines, the illegitimate daughter of a famous Spanish general

is lady-in-waiting to Constanca de Penafiel, betrothed to Don Pedro, only son of King Alfonso of Portugal.
Portugal, the land of **saudade,** the indefinable combination of feelings beyond deepest grief and exuberant joy, released in songs of tension, bittersweet and impossible of fulfillment, enticing and embracing melancholy, longing and ecstacy, representative of so many insoluble contradictions within Portuguese reality.
it is Constanca's and Don Pedro's wedding day. an ill-fated day because a sunbeam lures the bridegroom to Ines, so fair, so different, so blonde,standing alone by a window. blonde, blonde, blonde. his ache to touch her hair is the beginning of their tragic love.
to save her reputation Constanca finds an ally in King Alfonso. after her first child, a son, is born the king decides to send Ines into exile. but Constanca dies suddenly and Don Pedro takes Ines to their secret house in Coimbra at the bank of the river Mondego, an a summer's day, full of saudade.
they marry in secret and for ten years live happily with their four children. nightly visitors to the Fontes dos Amores say, that sometimes they can hear the children's laughter.
but for the ordinary peasants the lovers are living in sin and they blame blonde Ines, a woman from Spain, a stranger, for everything that is wrong in Portugal and in their own life.
King Alfonso too is under pressure from his court advisers who proclaim that Ines is dangerously ambitious for her own sons and Spain, a thread to the succession of the Portuguese throne. deep fears of an alliance between Don Pedro and Ines' Spanish brothers who revolted against the Spanish government leads finally to the decision to murder Ines. Luis Vaz de Camoes recalls Ines' murder in The Luisades:

Send me where ferocity belongs
Among lions and tigers; and I will see
If there exists among them that mercy
Absent from the hearts of men.
There yearning with my whole soul
For the one I truly love, these
Whom you see before you, his creation,
Will be their sad mother's consolation.

The kindly king was moved by her speech
And wished to have her pardoned,
But the headstrong mob and her destiny
(Which overruled) would not be denied.
The men at hand for this fine deed
Drew their swords of well-tempered steel
And take note, those who performed tbe butchery
Were honourable knights, sworn to chivalry.

which is the "true" story ?
history's tale or the poet's ficticious empathy with Ines, his fellow sufferer ?
and do the visits to her shrine on good fridays suggest and connect the poet's own loss of love and suffering in exile ?
who knows ?
the tragic love-story about Ines and Don Pedro survives:

Don Pedro returns from his hunting trip and learns about Ines' cruel murder. his rage and need for revenge result in murderous wars against his own father, his people, his land in order to find the murderes. of course, he finds them and they are killed in a horrendous way, skinned alive and their hearts ripped out, then burned at the stake. the prince becomes known as Don Pedro, the Cruel.

after his acts of revenge Don Pedro demands a public statement from the Bishop of Guarda, to confirm his secret marriage to Ines. Obsessed, he wants to give at least status and respect back to Ines. after his succession to the throne he has her body exhumed from the Abbey of Santa Clara and taken to the Cathedral of Coimbra where she is crowned Queen of Portugal. after the ceremony her body is carried on a golden bier by knights and noblemen and taken 17 miles from Coimbra to Alcobaca at night. imagine it, 17 miles, and along the route peasants holding burning torches.
what a magnificent funeral procession it must have been !

today Ines and Don Pedro lie foot to foot in the old Abbey Church in Alcobaca. it was Don Pedro's wish to place them in this way so that Ines' face will be the first face Don Pedro sees at the resurrection.

Three Lives

the train stops suddenly
a woman, holding a baby waves from across the road
a white horse moves uneasily in a field
smoke escapes from a large stone house
ahead, where the track turns, a neglected church

all off, everybody off, please ...

no signposts
under a tired judas-tree
abandoned
almost flush with the ground
at the mercy of wind and rain
three graves

three mysteries
pilgrims perhaps
returning from the holy-land
struck down by black death

the stone carvings are unusual
one, a lattice pattern
under a figure with crossed arms
the other, a rope
running the length of the coffin stone
the third, a man in a short tunic
barefoot, a sword in his belt

here, at the end of the lane
history stalks
no traffic noice
only the cry of a curlew
in the marshes below
bleak
as the gales come in from the estuary

now
back on the train
three lives haunt my imagination

criminal chaos

Red Hair

Butcher Jones is digging in his garden, slowly, very slowly indeed. Every now and then he stops to rub his leg. Some pain, somewhere. Surprisingly, this does not stop him from singing at the top of his voice:

It ain't no fun
chasing Mary Dunn
all around the village
with her knickers undone....

The same verse over, and over. Then a little whistle to vary it a bit, but soon back to the same. Pushing his bike around the corner policeman Jackson can hear him loud and out of tune. Of course, he joins the fun. Unfortunately, his voice isn't any better. Both stop instantly and laugh.

We are not getting any better, are we, Mister Jackson?

I wouldn't say that, Mister Jones.

They've found another body I believe?

So they have - Sunday morning.

Where? Liverpool again? Same hotel?

Think so. How are your leeks coming along?

Not bad at all. Fine in fact.

What about you, Mister Jones?

Have to get on with it, haven't I? Could do with some help, though. The leg is giving me trouble again.

Have you written to your nephew?

Last week. - Was it a man again, Mister Jackson?

Yes, about 30.

Red hair?

So the papers say.

Strange, isn't it?

So it is.

How mang victims now, 7 or 8?

Seven, I think.

Some old grudge perhaps.

Possible.

All of them had red hair?

So I believe. Those chops were lovely, last week, Mister Jones.

Glad to hear it. Kept some frying steak for you this week.

Ta, very much. A change from sausages, isn't it? Better be off now. The inspector will be wondering where I got to. Pick the Steak up tonight, on my way home. Better give your leg a rest - and - don't forget to sing.

Policeman Jackson, fixing his bycicle clips is nearly knocked over by screaming schoolchildren, running home after school. Only Megan and Lou are not in a hurry. A beautiful, big, orange, purple and green ball bounces from one to the other.

Catch it properly, stupid! Properly, I said, Lou. Not like that! Catch!

I'm tired. I want to sit down.

We've got to get home.

I hate my hair.

So do I, Lou.

Chris doesn't seem to mind and Susan flaunts hers.

Lou, shall we dye ours black, jet black?

Shall we?

Why not?

Do you think it will work?

Course, silly. The chemist sells hair dye.

Mother will go mad, Megan.

She seems to think, red hair is the most beautiful thing anyone can have. Do you understand why?

I'm sure she doesn't love us, only our hair.

Maybe because she's mousey.

Yours is lovely in sunshine.

Shut up ! I'm sick of it. Why are we the only ones with red hair, anyway? All six of us, ridiculous!

They say, it runs in families. If one parent has red hair, all the kids get it. Our dad has red hair, so mother says.

Why does he never come to see us, d'you think? Liverpool is not that far, is it? And why doesn't mother ever take us, when she goes?

Megan, I think she is going again soon.

No, she's not. She's having a baby, stupid. She never goes when she's having a new baby.

Lydia and Paula the two village gossips have been watching the two girls with interest. They always sit talking on the bench by the fountain if the weather is pleasant. If it is not, they huddle together under Lydias's big, striped umbrella, always in the same spot. Paula doesn't seem to have an umbrella.

From here they observe who goes in or comes out of the shops opposite. Most village people try to avoid them which is not always easy. Even the children resent their nosy comments and questioning.

You two, yes, you two Megan and Lou, you'd better get home. Get your tea. Your mother will be wondering what's happened to you. The other children are well home.

Lydia feels better after she has shouted across to the children. Good timing too, for the next juicy bit of information.

Did you know Paula, she's pregnant again? And the last baby is only a few months old.

I do know, actually.

Happy as a lark.

D'you think so? Have you ever seen her husband?

No, never. She says he works in Liverpool.

Why doesn't he come to see them?

She goes once or twice a year to see him.

Strange couple!

The children have never seen their dad. The eldest must be eight by now. Every time she comes back from her visits she's pregnant again.

Some folk! Mind you, Lydia, they are beautiful children. Well kept, nice manners. And that gorgeous hair!

Well, I'm not all that keen on redheads.

Oh, I am. I had a boyfriend once...

You are blushing, Paula.

No, I'm not.

Are you going to butcher Jones?

He could do with some help in the shop. Not getting any younger, is he? And that leg of his.

Hasn't his nephew arrived yet?

No, he can't come until the summer.

Policeman Jackson is not avoiding the two gossips. Their information can come in useful sometimes. He is whistling the tune again: It ain't no fun...

smiling to himself.

Still here, ladies?

Such a lovely afternoon, Constable Jackson. A shame to stay indoors.

So it is, so it is.

He gets back on his bike, smiling and singing:
Chasing Mary Dunn...
Lydia and Paula shake their heads but smile back. They like him.

Megan and Lou's mother Mary is putting both her hands over her belly. Not long now. Motionless, she stares out of the kitchen window and tries to ignore the petty quarrels of her four children at the kitchen table.
Ma! Ma! She's took all the jam, Ma. Tell her, Ma! Go on, tell her! Greedy pig!
Stop fighting!
I haven't, look. I haven't. He's always picking on me.
Stop fighting, I said! Look, what you've done. Knocked the tea over now, Quick, get a cloth! And where are the other two again? Megan, Lou? Late every day. Did you see them, Susan?
Saw them going into the chemist.
What an earth for?
Don't know, Ma. Wouldn't let me come.

At last Megan and Lou are on their way home. After the chemist they went to the river. It is late now, much later than usual. They walk slowly, heads down, uncertain, holding hands.
At the kitchen door they only dare to whisper.
You go in first.
I can't.
What does it look like?
I like it.
Can you wash it out again?
Not sure, think it has to grow out.
It is getting dark. Mary is worried. Where are they? By

the time the kitchen door opens she is angry but also relieved.
You're late.
Yes, Mother, sorry.
Well, sit down! And take those hats off!
Megan and Lou look at each other. Neither takes her hat off. Mary's anger returns. She grabs both hats and throws them on the table . Silence. Then a scream.
Holy Mary, mother of God! I don't believe it. Have you two gone mad? How could you? Your beautiful hair. It's ruined for ever.
After that, complete silence again. Mary is looking at her two girls. She is sitting down now. Pale. Tears streaming down her face. Megan and Lou have started to cry, but stop instantly when they hear their mother's voice, cold, pitiless.
You are no longer my children.
Mary is frantic now. She is searching through a drawer for the big scissors. The girls are terrified.
Come over here! You first, Megan.
No, Mother, no! Please, Mother, please! No, no, no.... Not that.....
Both girls receive the same treatment. They do not struggle, just cry silently. Suddenly, Mary stops, her hands over her stomach.
Quick, Megan, quick! Run for the midwife!
The midwife does not look a bit like you would imagine a village midwife to look. She is at least 6 foot 3, very, very thin, jet-black, greasy hair, enormous green eyes and broad farmers' hands with chewed-down fingernails.
One more push, Mary! Come on, push! Nearly there. Good girl, good girl. All over now. A girl. Mary, look! A beautiful girl. Look, Mary, isn't she lovely? Go on, hold her. She's yours.

No.

What's the matter, Mary?

She's not mine. I don't want her.

She's beautiful, Mary. Perfect.

No, she's not. She's got black hair.

Well? Some babies have no hair at all.

I don't care. I only like red hair.

Don't be silly, Mary.

It is summer now. The butcher's nephew has arrived to help his uncle in the Shop. Sausage sales have increased enormously. The reason? They are sold with a special kind of charm now, even to the most difficult female customers. The old-fashioned brass shop-bell has never been busier or happier.

Good bye, Mrs Miller, and thank you very much.

Now, Mrs Owen. Sorry, for keeping you. You look worried, my dear. Your husband still the same?

Very much so. Not improving at all.

Sorry, to hear that, Mrs Owen. Did he like the sausages? You know, the new flavour.

He did, he did. Managed to eat one or two. Get some more, he said. Really nice, he said. Spicy, real spicy. Hot like you, he said.

Did he now?

He did. You see, I am 15 years younger than him.

Well of course, Mrs Owen. Of course.

Bye, then. Must rush.

Good bye, Mrs Owen, hope the sausages do the trick.

Leaving the shop, still giggling Mrs Owen bumps into Lydia and Paula.

Can't stop, ladies. Have to get back. My busband you see. Lovely day. Lovely.

Beautiful.

She fancies him too.

He is handsome, isn't he?

Who?

You know, who I mean.

Who else? You are blushing, Paula.

He flirts with all the women.

Yes, I know.

And that Mary! Making a complete fool of herself. Thank God, her husband isn't here to see it.

It is lovely, isn't it?

What?

His hair. More auburn than red, I'd say.

Can't see it myself. Just another redhead to me. Mind you, I do think he's got lovely teeth.

It is Sunday. Mary and the nephew are walking towards the small woodland. Mary carries a brand-new picnic basket. They look happy enough.

Lovely spot, isn't it? Woods have that special smell. Peaceful too. Can you see the old mill from here? Look, over there.

The whole village is talking about us.

So what?

What about my uncle? He's been very good to me, you know.

You are good to him, aren't you? He can take it easy now.

His leg is not getting any better.

Isn't it? Doesn't give you much time to yourself, though.

We've been together every weekend.

Let's sit here. Isn't it a gorgeous day? We used to have days out when I was little, my brother and I. My father would carry him high on his shoulders. They would laugh. Happy. I would sit under the Lindentree, watching them. Both had hair like golden flames.

Like your children?

Yes, except for the baby.

Oh, the poor baby.

Don't tease, it's serious.

No, it's not.

It is...

Mary touches his beautiful hair. She tries to kiss him. He moves his head away and changes the subject.

You don't like that baby, do you?

Mary doesn't answer. All she wants is to kiss him. He refuses again. He pushes her away quite hard.

Mary, stop it! Stop it! You are killing me. I can't breathe. Your passion, my dear...control yourself!

You are never serious. I love you. Your hair. Everything.

Do you love me?

This time the nephew doesn't answer. He feels utterly ridiculous.

Where are they now?

Who?

Your father and brother? Do you see them?

Lost touch. My father didn't love me anyway.

Why not?

Don't know. I wasn't his, I think, but my mother said I was. They used to call me the mouse. My hair, you see. Used to sing:

Little grey mouse
sneaked into our house
OUT OUT OUT
little grey mouse

I tried to dye it once. It came out pink. They just laughed and ignored me.

Mister Jones, the butcher and his friend the policeman are talking over the garden fence again. Both are more pensive today.
She's a lovely girl, isn't she?
She is.
When is the wedding?
Next month.
I've always liked her, ever since she was a little girl. And her family.
He's made a good choice.
Looking forward to retiring then?
I am.
I'll come and sit in your garden with you. Watch those leeks grow.
Needs to be his own boss when he's married. Works hard. The customers like him.
The women customers, you mean.
She'll make a good butcher's wife.
What about Mary? Is it all over?
Married, isn't she? Had to sow his oats somewhere, I suppose.

The policeman didn't laugh as one might have expected. A bias comment between friends? They knew why. Both felt uneasy about Mary. They felt sorry for her.

Dressed all in black, Lydia and Paula are waiting at their usual spot to join the funeral procession. Mary, she looks smaller than usual, is walking behind the horse-drawn hearse with it's small white coffin, drowning in flowers, followed by her children, the nephew and his bride-to-be, the butcher, the policeman, the midwife and many others. After the funeral Lydia and Paula share their observations.

What a tragedy, Lydia. How old was it?

Six months.

What happened, really?

Not quite sure. Suffocated, I believe. The father didn't even come to the funeral.

Mary looked awful. Did you notice, she pushed the two eldest girls, Megan and Lou aside when they tried to comfort her. And who cut their hair that short? They looked like boys.

I believe, Mary shaved it off completely because they had dyed it black. And she hasn't spoken to them since.

Poor Mary!

Did you see the nephew and his bride-to-be?

Yes.

Mary couldn't keep her eyes of them.

There was funeral-and-poor-Mary-talk for a while in the village, but then, people focused on something else.

A wedding perhaps?

The nephew charmed his customers more than ever.

A pound you said, Mrs Owen?

Did I?

I'm so glad he's on the mend. He'll be up and about in no time at all. You'll see.

The shop-bell welcomes the next customer.

Well, hello there, Mary. How's the family keeping?

Fine, Mrs Oven, fine. Heard your husband is much better. Give him my regards.

I will, Mary, I will.

The shop-bell and the nephew say good bye to Mrs Owen. Mary is fiddling with a dirty hanky but is the first to break the awkward silence.

Had to see you.

We have to be careful.

Why are you marrying her? It's the money, isn't it? I've got money.

Don't be ridiculous, Mary.

Well?

Never you mind.

We can still see each other, can't we?

No way. Anyway, what about your husband?

What husband?

The one in Liverpool, remember?

My husband died years ago.

You don't say ...what about...?

The children, you mean? The annual trips? Never mind that. That's my affair.

More than one stormy affair, eh?

Stormy and deadly. Why won't you marry me?

You are kidding, aren't you?

No, I am not.

A woman like you? Seven, sorry, six children, mousey. Are you serious?

I'll send them away.

Are you mad? Your own children.

So it is her family's money. I'll tell her.

She won't believe you.

She will. And I'll tell her a few other things too.

Stop it, Mary! It was nice while it lasted. Be reasonable. love her.

Mary leaves the butcher's shop without another word. The policeman is on his way in to collect his steak. He smiles at Mary. She doesn't notice it.

Next morning, there is a lot of commotion outside the butcher's shop. Constable Jackson is telling people to step back.

There's nothing to see. Please step back, please. There's nothing to see. Go home!

But Mrs Owen is determined to get through.

I've come for my husband's sausages, Constable Jackson.

The shop is closed for today, Mrs Owen. Please step back!

But where are Lydia and Paula? This should be their day. So much going on. There they are. On their bench. Do they know, what has happened? Of course, they do.

They've found him in the shop, early this morning. Blood everywhere. The thought of buying meat there again... used every knife in the place. Thirty stab wounds, I believe. His throat slit, from here to here.

Must have been that monster. The same one. The one from Liverpool.

The police aren't sure.

He had red pair, didn't he?

True. But it isn't quite the same pattern, they say. No money taken. All the others had been drugged and

suffocated in their sleep, remember? And, they still had all their hair, afterwards. His was shaven off. Completely.

An Open and Shut Case

there are enough red herrings here for a fish supper, inspector macdonald thought ruefully. they had uncovered ancient grudges, lurking secrets, pure hatred and the classic flip-side of the hatred coin, overwhelming love. none of it explained why, or how, that hauntingly beautiful corpse had turned up in a glass coffin on the stage during that last performance.

it had been hectic back stage, as always, but thoroughly enjoyable. the children were a little tired, perhaps. two long performances on the last day, afternoon and evening. but it had been a success until then, mainly due to the outstanding singing skills of the beautiful corpse. local radio had praised this amateur production especially, mentioned it twice in fact, during their morning programme.

the theatre was packed. everybody expecting a night of fun and games. they ran out of ice-cream during the interval but had plenty of lemonade, sweets and pop-corn. everyone was happy, looking forward to the last act. some of the younger children in the audience were a little overwhelmed perhaps, red-cheeked, jumping up and down, noisy. the usual long queue for the toilets.

back in their seats, familiar sweet-paper rustlings, coughing here and there and then the final hush before the heavy curtain went up again.

and there she was in her glass coffin. hauntingly beautiful. her head on a satin cushion, eyes closed, wearing a long, golden dress. in her hand a silver mirror. a present from her latest lover, so they said. she was supposed to play dead, waiting to be kissed back to live by her prince. he did kiss her. nothing

happened. the audience thought, this was the biggest joke yet and started to whistle, some shouting:
come on, wake up! we haven't got all night.
panic back stage. something had to be done,quickly. someone decided to bring on the children again:
hi -ho, hi-ho....
repeating an earlier scene, dancing, singing, this time lead by the prince, a tall man in his late forties perhaps, still handsome, looking rather anxious but doing his best to divert attention away from the glass coffin.
no wonder, she wouldn't wake up for you, grandad, someone shouted from the back. audiences can be very cruel. they want blood for their money. mind you, they got it this time. of course, at that time nobody had fully realised the horror of it all. no satisfactory explaination was given to the audience why the panto had to end so apruptly. only, that their money would be refunded in full the following week.
inspector macdonald and his side-kick had already questioned the adults of the cast, especially about the missing silver mirror. their next task was to question the seven children, preferably in their own homes with their parents present.
a visit to the prince's home was to be first. emily, a rather plain little girl, the family's only daughter, opened the front door. they were lead into a large, dark livingroom.
rather medieval, the inspector thought.
the prince greeted them. he looked drawn, much older without his stage make-up.
do sit on that couch, it is rather comfortable. my wife is getting us some tea. emily sat on her dad's knee, smiling. she liked being the centre of attention. mum, dad and emily had

belonged to the amateur dramatic society for a few years now.
a serious family hobby, the prince explained.
it was emily's mother who played the main part usually. but this year she became ill, just two days before the opening night. a fever and a persistent dry cough made it impossible for her to sing.
she couldn't even come along to watch the performance. much too ill. had to stay in bed to keep warm. poor dear! the prince told the inspector. at this moment the door opened and a most striking, tall woman entered, carrying a tray.
mirror, mirror on the wall she is the fairest of them all, the inspector thought, smiling at her, thanking her for the tea.
emily knew that all the attention would be given to her mother now, as always. she was angry. after all, the inspector had come to speak to her. she got up and tip-toed to the door.
back in a minute, inspector, she whispered.
when she returned she was hiding something behind her back, walked over to an enormous red armchair and sat stiffly on the edge of it. the inspector had watched her carefully. he had little experience with children and didn't really know how to approach emily. but there was no need to worry any further. emily stood up slowly, walked over to her mother, handing her a most exquisite silver mirror.
you did tell me to bring it home after the performance, she smiled, then continued most innocently:
i don't understand at all. daddy practised kissing snow-white all afternoon. why didn't she wake up later? she spoiled absolute everything. you saw them practising too, didn't you mummy, hiding by the open door.

My Heather

a smell of wet leather
and stormraging weather
remind me of you

wide open cracks
in mudbulging tracks
lead me to you

then, **him**
and my heather
in leather together
cause stormraging weather
in me

two shots
a smell of red leather
no him
no you
just me

Diplomacy

Some people are extremely blunt, aren't they? Unfortunately for Tom his mother is such a person. She lacks tact. Never stops to consider the consequenses of her outspokeness. Not like her son, who is a master in diplomacy.
When she comes to visit him in his posh flat - he has done well for himself - they tease each other:
Never change, do you Mum, beautifully blunt and honest as usual. They laugh. She defends herself, of course:
Nothing wrong with that. More honest than your diplomacy any day. Secretly she admires her son's considerate and courteous way with people. Surprisingly, she never tells him that. Instead their banter always ends with her warning words:
This diplomacy of yours will get you into serious trouble one day. Someone is bound to take advantage of it.

* * *

...pip...pip...pip and now the 10 o'clock News:
Police are questioning a man who escaped completely naked but unharmed from his ordeal with the alleged **Bathroom Killer...**
She switches the radio off.
About time they caught that monster.
She walks over to the phone, but stops halfway. No, she would call her son tomorrow to apologise. He was obviously not answering to punish her. She knew that she had gone too far this time. The utter disbelief on his face when she actually said it. And only because she was put off by the woman parading her over-the-top-cleavage, complaining non-stop about the turtle

soup. It didn't matter that it was the new wife of her son's boss.

* * *

You could say, Tom's bathroom is quite ordinary. Too clinical perhaps. Bottles, toothpaste, shaving foam, all lined up like soldiers. White tiles. Steamed up mirror. A chair, burdened with neatly folded clothes. His bowler hat placed on top. Warm, lovely and warm. He isn't whistling or singing. No, not him. A lot of people do in the bath, don't they? No, he seems reasonably happy just soaking away.

He has a duck too and a boat, wooden, handpainted. Both floating round his chin. Blows on them now and then to move them a bit. Smiling to himself. If his mother could see him now. She would definitely have something 'honest' to say.

Two big toes sticking out one end. One hand searches patiently for the soap. It had been there, on the left, only a minute ago. Not there now. He sits up. Feels alongside his leg. Must be somewhere. Stops for a moment. Looks down. Thoughts about sizes drift through his mind:

Wonder what is considered average size? Should measure it sometime. Someone is bound to know.

A few drops of water drip onto the floor.

Bathroom Killer still at large, is the front page's main headline. The phone.

No, mother, not this time. Too late to apologise now. Maybe my boss will have overlooked your 'honest' remarks by Monday, which I doubt. Who wants promotion anyway?

brrr brrr brrr

He is letting it ring.

Sorry, mother!

It stops. At last. She is usually more persistent. Let her stew!

Tom lets his head slip under the water. Holds his breath, counting the seconds 30-31-32. Uuuuugh - pops up again. Not really trying all that hard.
Just then someone turns the key in his front door. Comes in. Footsteps along the hall, heading for the bathroom. Singing. Whistling in between. Who is it? He lives alone. This is a block of flats for single civil servants. He always leaves the bathroom door open, just a bit, in case. Dizzyspells, that sort of thing. Prepared for the ambulance men to get in quicker, should they have to.
The man steps in. Quite naturally. A stranger with a big smile. Starts to get undressed, very slowly indeed. He wears a bowler hat too.
Where shall I put it? he asks politely.
I don't know, do I? I leave mine in the hall usually. Don 't know, why I didn't tonight.
Could do with another chair in here really, the stranger grumbles.
I don't think so.
He is pushing a dripping piece of hair out of his eyes.
You don't mind then, if I put my clothes an top of yours?
Before he can respond the stranger adds quietly:
I'll fold them neatly, like yours.
Undressed, he starts to complain again.
Haven't you got any bubble-bath?
Of course, I have.
Didn't put much in, did you?
Enough.
He doesn't want his irritation to show. The man looks around.
And where is the bottle? I can't see it.
Second on the left.

The stranger's fat hands squeeze the bottle. Happy and excited he suggests:

Go on, let a bit more hot water in. It'll make it nice and bubbly.

I don't like too many bubbles.

Why not?

Just don't. Bad for the skin.

The man stops putting more in.

You win.

Might as well sit up now, so I can get in.

Get in?...

There's that broad smile again.

We are not going to waste the bubbles, are we?

Dear Moses, this fella is fat. He himself is bad enough, but this one... he hears himself say:

I think, we have to let some water out first, before you sit down. It'll go all over the top otherwise.

The stranger agrees.

You do that, I'll stand until you think its okay for me to sit down. You say when.

Holy Mary, mother of God, spare me the view!

Can I sit down now?

Not yet, wait until I secure the plug.

Now?

Okay, but slowly. Mind, you don't slip. Careful, don't sit on the soap.

And there they sit, opposite one another in the warm water. After a long and awkward pause the fat man coughs, then pokes his finger hard, very hard into Tom's chest.

You didn't answer the phone before, did you?

How do you know, I didn't?

Watched you go in. I always phone them first. Always. When they don't answer, it's time for me to visit. Find them in the bath usually. Difficult to answer the phone when you are in the bath, **isn't it? Most people don't bother.**

Thought, it was my mother. Didn't want to speak to her. She went too far this time. Embarassing me in front of all those people. Influencial ones, know what I mean?

People, I hate them. Do you want me to punish her for you?

Thanks, but no. You can't change people, can you? Have to accept them as they are.

I don't. Mine scream for mercy in the end.

The bath water is getting cold. Tom starts to shiver.

Could you please push the soap across. In the boat. Thank you. And can you reach that big striped towel at your end? Something cold is dripping down me back. No, not that one, the striped one.

There isn't a striped one.

Yes, there is. I can see it from here.

His voice is sharper than he intended it to be.

Don't you dare shout at me. If I say there is no striped towel, then there isn't .

But there is. Go on, put your glasses on.

I don't wear glasses.

You should, you definitely should.

Why should I? Can see everything perfectly clear.

Could have fooled me.

The fat man's face is very red now. No smile.

Can't stomach sarcastic people. I am warning you...

He puts two heavy, soapy hands on Tom's head slowly pushing

him down.

For how long can you hold your breath under water?

Tom is terrified but manages to answer calmly:

About 32 seconds - and you?

At least 50 or more.

Really, that's fantastic. Must have good lungs...

The phone.

Would you please excuse me for a moment, Sir. That must be my mother again.

He is getting out of the bath, slowly, very slowly. Smiling.

brrr brrr brrr

Alright, alright mother. Persistent, isn't she? Do you think I should speak to her? Or is it better to ignore her again?

brrr brrr brrr

Go on, go on, that bloody ringing is getting an my nerves. No, wait! Do you want me to speak to her? What she needs is a strong warning.Behaviour like hers cannot be tolerated. You might have got that promotion.

You are absolutely right, of course.

Tom has managed to get as far as the open bathroom door, shivering uncontrollably by now.

brrr brrr brrr

Terrified , he watches the fat man's irritation, but manages to smile.

You lie back now, he says softly, **have a good soak.**

I'll tell her exactly what you said, promise. And - don't forget to dry yourself properly on that striped towel.

Driving to the Office

please, will someone stop the rain!

he presses his hands over his ears. no use. can still hear it. he closes the curtains.

it all happened eight days ago. eight days without food or sleep. worn out. he hasn't answered the phone. not been out. not contacted anybody. if only he could sleep. no further news in the paper, on radio or tv. he has to do something.

sit down ! stop pacing up and down! think ! something has to be done now. maybe it isn't as bad as you think.

he is talking to himself again.

it had been raining last monday, heavily. like today. lashing down. he never drives fast. some pedestrians got splashed just the same. jumped back. annoyed. said something nasty. he couldn't hear. much too snug inside his car. not many people about, anyway. much too early. only some old folk, wrapped in ugly pink or green rainwear with umbrellas, brown mainly, with stripes. from the rest-home round the corner. out in all weathers. must get their breakfast very early.

he likes his drive to the office. leaves early to avoid the rush-hour. drives past a large park every day. glorious the trees.

he can't see much today. his windscreen wipers hardly cope. autumn is his favourite season. or is it spring ? both perhaps. he looks up. there is his beautiful, red-leaved tree, now dripping with rain. all yesterdays dust washed off. he hopes that this evening on his way home when the rain has stopped the autumn sun will make its leaves glow again.

then... bang! he has hit something.

stop!

he doesn t stop. drives on.

a cat probably or a dog. people shouldn't let them out, roaming the streets.
he mumbles to himself.
stop!
he should stop. why doesn't he stop?
dazed he drives faster and faster.
stop! stop the car and drive back to the park! you can't leave that poor animal lying there, hurt, in pain. drive back!
he doesn't.
better get to the office.
at the office heads turn.
what happened, you look awful? Late night?
he smiles.
was delayed myself, this morning. someone says.
police and ambulance at park road this morning.
the whole area blocked off. i know. he lies
still blocked now. what happened ?
a terrible accident. an old lady. dead. hit and run.
the swine.

he went home early that day.
probably the flu, he explained.
thought i might get away with it this year.
no chance, of course.

war chaos

Hurray!

swear, blood and decay
hurray!

another bomb
precisions its way
to delete
those yonder
no wonder
that with it fly
warped surgical lies
of nations
who prefer to forget
that all violent threat
leads to
sweat, blood and decay

not hurray !

Playing with Words

did he say
a just war or just a war?
careful!

are wars ever just
or just wars
somewhere
not here
far away
on the telly?

until
war
just or not just
becomes

terror

on their
and our own
doorstep

Cover-Up

here
cold white snow and lies
cover
dirt and hurt
of yet another betrayal of hope

oily rain
pushes reason along the gutter
waters it down
with might
brainstorms of old-fashioned pride
block drains of sanity

while a steel sun
burns folly and innocence
to a cinder
too late to hinder
yet another betrayal of youth

personal chaos

Birthdays

happy birthday, dad. hope, you'll like it.
it is a local history book with many old photographs in it. he smiles. his children smile back. it is easy to buy a present for dad. he loves books. always has.
there wasn't a book in our house when we were kids. not one. maybe an old beano...
they listen to the same words every birthday. but today with more patience.
yes , dad. we know. you told us.
his right hand strokes the nice book cover once again.
he opens it.
i like the smell of new books. do you?
the two of them nod. they mean it too. no wonder! by the time they were three, or even earlier, their dad had achieved his goal for them, to appreciate books.
shouldn't have spend that much.
they nod again. he is proud of them. doing well, his kids.
i'm getting on, aren't i? tea or coffee, you two?
he gets up.
we'll make it, dad. your birthday, you know.
he doesn't object.
i've been to the shops. got that cake your mum used to like. hope, it's alright.
they look at the floor. mum. he's missing mum. they are too. his first birthday without her.
thought, we'd take you out for a drive later. to the beach, for a walk, if you like. take your binocs! nice clear day. the dog will love it.
like me that dog, as grey as a badger. worries a lot.

don't you, bess?
she seems to understand every word. her tail banging on the floor.
put your old shoes on, dad and a warm coat. it looks nicer than it is.
both children have cars. his own father would have been amazed. he didn't even have an overcoat.

they take the boy's car today. dad sits in the back. the dog next to him, excited. loves the beach. knows exactly where they are going, once the binocs come out.
are you eating alright, dad?
he touches his nose.
yes, yes, never liked cooking, as you know. have to, now. not that your mum was all that keen, twenty five years, three meals a day...
they open the window a little. the dog is sniffing the sea air. not far now. it is their favourite walk. a soft breeze, fresh.
do you want to have a look? a tanker, i think.
they spend some time looking, pointing, sharing.
your mum hated binocs. can't focus, she used to say.
they stroll on. step over driftwood, seaweed, pebbles. kick softly at a dried-up jelly fish. turn it over. prod it a bit. pick up some especially nice shell here and there. keep it for a while. then, decide against it.
no, bess, no!
the dog is rubbing against something. rolling in it.
she'll stink something terrible. last time your mum and i took her she rubbed against a dead seal. the smell was absolutely digusting. we had to open all the windows in the car on the way home and still...

they laugh.

have to put her under the shower, straight away when we get in. come here!

the dog obeys for a short while, then runs off again.

you two alright?

of course, dad. mind you, the job is getting me down lately. wish, i didn't have to be in this damm rat race.

his dad nods. puts one hand on his son's shoulder.

they walk on, stopping here and there for another look through the binoculars.

and you, dad? what are you doing with your time?

not much, really.

he doesn't need to explain.

use some of your redundancy money for a little holiday. do you good.

i'll see.

they mean well. he knows that.

come on, stinker! time to go home. get you cleaned up.

the dog has calmed down now. walks slowly behind the three of them. tired. they get back to the car.

you do stink, don't you?

at home, in the small back-kitchen they wait for the kettle to boil.

quiet today, love. been to the clinic this week?

his daughter puts both hands over her stomach. nods. smiles at dad.

everything as it should be?

she smiles again.

can they tell whether it is a boy or a girl?

they can, but she doesn't want to know.

your mum would not have been able to resist the

temptation. marvellous, what they can do with this new technology. a grandad, eh?

the dog is snoring now. old dogs do. they laugh. dad has decided to put her under the shower after they have gone. the smell isn't too bad at the moment.

no fancy names, mind. choose a good, solid name like robert. my dad's name.

she knows his theory on names. best not say anything.

it might be a girl, dad.

think so? your mum will be pleased.

Market Day

two rows of stalls
their pegged awnings flapping
blood leaking into the gutter
from meat and fish
the bulging eye of a red snapper
kippers
salt fish

fruit and veg
next to outsize underwear
broken toasters
antique dinner sets
cushions
gaudy towels
jesus-pictures, framed
prayers, 50 p
or 3 for a pound

kitsch ornaments
precious photographs
old clothes and shoes piled high
on black tarpaulins

also

books and poems
still alive
five for a pound
tipped onto a red velvet curtain

eager hands rummage
in the compost of lives lived
now forgotten
to find a jewel among the leftovers

Our cat

the kids found her
only little
black, one white ear
called her 'poppy'

had kittens soon
too many, really
up the curtains, everywhere
lovely, though

had her 'done'
worn out her and me
toms on the wall all the time
didn't venture out much after that

not very affectionate
only now and then
independent
petite
and beautiful

fussy too, foodwise
only the best
couldn't eat in the end
pitiful

the kids took her in a blanket
i coudn' t
she knew
looked at me
distant, dignified, brave

nineteen years
funny really
wouldn't have bothered
only
the kids found her

At Number 63

please come straight away,
the woman from the nursing home said.
a relapse. she's asking for you.
didn't expect it at all. she seemed fine last wednesday. it was the day when she told me i would be very rich soon.
twenty-five is your lucky number,
she said. we laughed about it. had a lovely afternoon together. mind you, she did look frail, much too thin.

hope, she is alright. should be. always been a strong woman. used to go away to sea, she did. never married. her fiance was killed. an accident. a week before their wedding. she told me. a private person, her. too private for a nursing home, really. wish, that nephew of hers and his wife would take her in again. especially now, when she needs them more than ever. i can't take her in, can i, with him there. she adores their little girl.
like my dear sister, rose,
she tells me,
especially the hair.
lots of baby photos an her dressing table.
was so pleased when the nephew married a nurse. usually nurses are caring people, aren't they? not this one, though. selfish, calculating and a snob. it was alright to move in next door when she became pregnant, oh yes. nowhere else to go, was there. soon forgot the old lady's generosity, didn't she. took advantage instead. both of them used her, that precious nephew and her, that so-called nurse. all of a sudden the area wasn't good enough for them anymore. now, that he is a teacher in a private school.

forgotten, who made it possible for him to study. he would have ended up in a children's home, only for her.

as long as i'm alive, your boy will be alright,

she had promised her sister. must have been very close, those two, she did without many things, I know. that nephew of hers had the very best. maybe she spoilt him. wish somebody would spoil me. no chance! she gave up her good job to look after her sister's child. only thirty years old, the sister. tragic. some sort of cancer. and look, what they are doing to the old lady now. don't even visit here regularly. two cars, paid for with her insurance money. but do they take her out on a sunny day? you must be joking! too busy, much too busy, always. but she won't have anything said against them. makes excuses for them instead.

they are young, i am old,

she says. i avoid talking to them now. get too angry. especially after they sold the house. her house, as far as i am concerned. she was in hospital when they did it. i still can't believe it. a stroke is bad enough, but that must have broken her heart. alright, it was the nephew's house, his mother's house. she told me, defending their appalling behaviour again. but surely, her sister had wanted her to live there until the end of her days. it was her home really, wasn't it?

they even sold her furniture. for a song. everything.

too old-fashioned,

they said. furniture she had brought back from the far-east. furniture she treasured and polished every day, especially that wonderful hand-carved chest from china.

everything was sold very fast. no wonder! they needed a deposit for their posh, new house on the outskirts of town. not a thought, how the old lady would feel. she could live with

them, they said. a convenient baby-sitter, more like. she tried it. didn't need to tell me she was unhappy there. not that she would have complained. much too loyal, as always. wasn't at all well either. no blame, never any blame, only love.
then she started to fall a few times. dizzyspells. old people have them,don't they. she even fell down the stairs. bruises all over. that's why they had to put her into the nursing home, they said. for her own safety, they said.
don't really know, why we got on so well. always have. not much in common, really. and she is so much older. it started with my pea-soup, i think. the smell must have drifted into her back-kitchen over the back-yard wall. it reminded her of her mother's home made soups, she said. i gave her some every week after that. on saturdays, usually.

we never say all that much to each other. don't need to. respect each other's privacy. have a good laugh, and a cup of earl-grey together, now and again. send xmas cards, that sort of thing. but not in and out of each other's houses every five minutes. no, not that.

and now? well, i visit her, when i can. after all, she looked after our house every year when we went on holiday. watered the plants. fed the cat. those who care for her in the home are friendly enough. she wouldn't complain, anyway. keeps her dignity and pride. love for her sister's son and now for his little daughter keeps her going, inspite of everything. mind you, she has a word or two to say about the 'nurse', sometimes. that's only natural, isn't it? she knows, what she tells me in confidence doesn't go any further, everyone needs someone to moan to, don't they?

two official looking men were with her last week when i arrived at the nursing home. last tuesday, it was.

the gentlemen are from littlewoods pools,

she said, introducing them to me.

i've won the jackpot.

she likes a good laugh and a joke. of course, i didn't want to pry into her business, so i laughed along with her explanation.

what would you do with all that money, if it was true?

i asked her later on, after the men had gone .

you know, what i would do,

she said.

give it all to my sister's boy and his little family, especially to the baby. no use to me, is it?

the baby is two this month. she is hoping that they'll come to see her. asked me to buy one of those expensive dolls they advertise on the telly.

she died that afternoon. her last words to me were:

don't let me down, mary, please.

i didn't understand at all what she meant at the time.

.

since then there has been her will. she left her pool's jackpot to me. all of it. i know, what she expects me to do with it. can hear her words now:

i would give it all to my sister's boy and his little family, especially the baby.

hope, i am strong enough to honour her wish, even if, except for the little one, they don't deserve one penny of it

.

and anyway, my lucky number is twenty-five. she told me so.

Ghost Dancers

they move confidently to riotous music
in mystic union to the rhythm of the dance
hot, elusive masks sway
untouchable, like dreams
in a mysterious merging of self and crowd

his dazzled thoughts escape
to embrace a black pierette
face painted white
fine, soft hair brushing against his cheek

the band is playing feverishly
garish lights flicker
he surrenders to her spell
intoxicated
fast and faster in ecstatic dance

when ashen light sneaks in
the music flags
they stand on the dance floor
still close, breathless, fading

somewhere a door bangs
a glass breaks
a titter of laughter dies away
mixed with the angry, hurried noise
of a motor car starting up

a clear and merry peal of laughter rings out
eerie, shadowy
made of crystal and ice
bright and radiant
but hauntingly cold and inexorable

doors open, cold air pours in
the dancers, on fire a moment ago
shiver
look at each other
strangers

Father Xmas

me mum says i don't believe in father xmas anymore
and do you?
on thursdays i do
that's daft, why on thursdays?
don't know, just do

your brother ian does
i know, mum says to leave him to it
he's only three and we are big

does your mum buy your toys from a catalogue too?
yes, less bother, she says
i 've picked mine
so have i

can i come and play pretend with you on thursdays?
only if you don't tell, it's a secret
i won't, promise

anyway, me grandad believes in father xmas

Tragetaschen

muss sie jetzt unbedingt loswerden
blau, aus plastik
hat sogar 'nen riss
schwer, gräbt sich tief in mein fleisch
muss immer wieder stehen bleiben
und alles auf den boden stellen

muss unbedingt eine aus leinenstoff besorgen
mit einem grünen werbe-logo
friede auf erden und mars
umweltfreundlich
weniger schmerzhaft
waschmaschinenfest
könnte damit meine last bestimmt leichter tragen

orangen und äpfel, tränen und geheimes ganz nach unten
freude, lachen und angst schön zusammen eingewickelt
und versteckt hinter einem blumenkohl, entsetzen und katastrophen
hoffnung und träume nicht zu nah an die butter
an einem sonnigen tag

und zum verwöhnen?
süße kreativität in einer goldenen keksdose

Baggage

have to get rid of this one soon
blue, plastic
even got a rip
digs into my flesh
need to stop and put it down
much too offen

have to buy a cotton one instead
with a logo
advertising peace an earth and mars
environment friendly
less painful, machine washable
it should carry my load more easily

oranges and apples, tears and secrets at the very bottom
joy, laughter and fears wrapped up together
horror and disaster hiding behind a cauliflower
hopes and dreams not too close to the butter
especially an a sunny day

and for treats ?
sweet creativity in a golden biscuit tin

ACKNOWLEDGEMENTS

OTHER PUBLICATIONS by ALFA
WORD WATCHING (poems in English)
SPIEGELSPLITTER (poems in German)

Also: widely published in literary magazines
and anthologies (poems & prose)

BROADCASTS
BBC Radio Merseyside & Radio Cumbria

PRIZES
Won the **Julia Cairns Salver** twice (1989 & 2003)
from the **Society of Women Writers and Journalists**

Bard of the Year 1994

100 Best Poets - Forward Press

Southport Seminar (monologue)

Miners' Eisteddfod - South Wales (poems & short stories)

Dun Laoghaire - Rathdown - Ireland (poems in German)

ALFA has a MA in Writing Studies

A special thanks goes to **Alfred Gewohn** for his book design
and most generous help and patience throughout. Danke Alfred !
Also to my very special friends in the **Inklings Liverpool**
and the **Schreibwerkstatt Soest**.